수능특강 Q 미니모의고사

과학탐구영역 | 물리학 I

KB214260

본 교재의 강의는 TV와 모바일, EBS*i* 사이트(www.ebsi.co.kr)에서 무료로 제공됩니다.

발행일 2021. 2. 10. **3쇄 인쇄일** 2021. 12. 16. **신고번호** 제2017-000193호
펴낸곳 한국교육방송공사 경기도 고양시 일산동구 한류월드로 281
기획 및 개발 EBS 교재 개발팀
표지디자인 디자인싹 **편집** 신흥이앤비 **인쇄** 팩컴코리아㈜
인쇄 과정 중 잘못된 교재는 구입하신 곳에서 교환하여 드립니다.

📄 정답과 해설은 EBS*i* 사이트(www.ebsi.co.kr)에서 다운로드 받으실 수 있습니다.

| 교재
내용
문의 | 교재 및 강의 내용 문의는 EBS*i* 사이트
(www.ebsi.co.kr)의 학습 Q&A 서비스를
활용하시기 바랍니다. | 교 재
정오표
공 지 | 발행 이후 발견된 정오 사항을 EBS*i* 사이트
정오표 코너에서 알려 드립니다.
교재 ▶ 교재 자료실 ▶ 교재 정오표 | 교재
정정
신청 | 공지된 정오 내용 외에 발견된 정오 사항이
있다면 EBS*i* 사이트를 통해 알려 주세요.
교재 ▶ 교재 정정 신청 |

쏟아지는
무수한
교재 속
역시 진짜는 EBS

성능 확실한 수능특강 연계
완전 정복 커리큘럼

수능특강

전영역

교육과정과 최신 수능을 반영한 핵심 내용 제시
수능 시험을 대비하는 수험생이라면 꼭 봐야 할 교재

수능특강 사용설명서

국·수·영·한·사·과

진짜가 만든 진짜 분석집
수능특강을 공부하는 가장 쉽고 빠른 방법

수능특강 연계 기출

국어·영어

수능특강과의 완벽한 시너지
수능특강 지문과 유사도가 높은 기출문제 선별 수록

수능연계교재의 VOCA 1800 · 국어 어휘

국어·영어

어휘로 판가름 나는 수능 등급
연계교재의 어휘 학습을 한 권으로 완성

수능특강 Q

미니모의고사

과학탐구영역 | 물리학 I

이 책의 **구성과 특징**

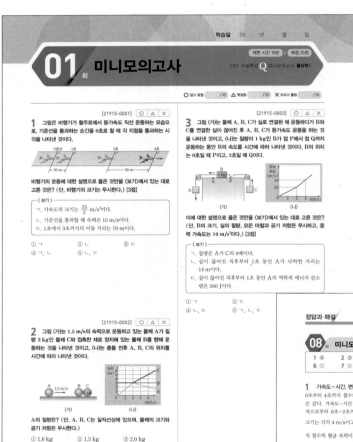

- 한국교육과정평가원이 감수한 과년도 EBS 수능 연계교재의 우수 문항을 선제하여 미니모의고사 형태로 구성하였습니다.
- 제한 시간 내에 문제를 푸는 연습을 통해 실전에 대비할 수 있습니다.
- 문항에 따라 배점이 다릅니다. 3점 문항에는 점수가 표시되어 있고, 점수 표시가 없는 문항은 모두 2점입니다.

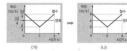

학습자 스스로 문제의 핵심을 파악할 수 있도록 명확한 해설을 제공합니다. 잘 풀리지 않는 문제는 해설을 통해 확실히 이해할 수 있습니다.

이 책의 **차례**

※ 미니모의고사 학습 계획을 세우고 매일 실천해 보세요!
※ 풀이 시간과 틀린 문항을 정리해 복습에 활용하세요!

모의고사	문제	해설	학습일		풀이 시간	헷갈린 문항 / 틀린 문항 번호
01회	4쪽	60쪽	월	일	분	
02회	8쪽	62쪽	월	일	분	
03회	12쪽	64쪽	월	일	분	
04회	16쪽	66쪽	월	일	분	
05회	20쪽	68쪽	월	일	분	
06회	24쪽	70쪽	월	일	분	
07회	28쪽	72쪽	월	일	분	
08회	32쪽	74쪽	월	일	분	
09회	36쪽	76쪽	월	일	분	
10회	40쪽	78쪽	월	일	분	
11회	44쪽	80쪽	월	일	분	
12회	47쪽	82쪽	월	일	분	
13회	51쪽	84쪽	월	일	분	
14회	55쪽	86쪽	월	일	분	

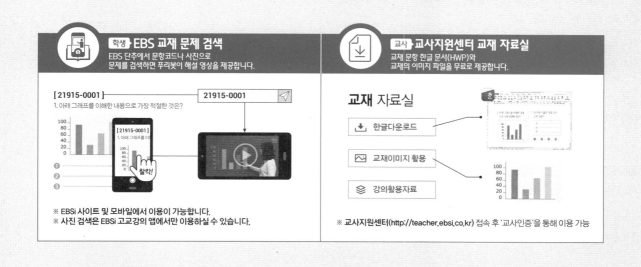

학생 EBS 교재 문제 검색

EBS 단추에서 문항코드나 사진으로
문제를 검색하면 푸리봇이 해설 영상을 제공합니다.

[21915-0001]
1. 아래 그래프를 이해한 내용으로 가장 적절한 것은?

21915-0001

[21915-0001]
1. 아래 그래프를 이

찰칵!

① ② ③

※ EBSi 사이트 및 모바일에서 이용이 가능합니다.
※ 사진 검색은 EBSi 고교강의 앱에서만 이용하실 수 있습니다.

교사 교사지원센터 교재 자료실

교재 문항 한글 문서(HWP)와
교재의 이미지 파일을 무료로 제공합니다.

교재 자료실

⬇ 한글다운로드

🖼 교재이미지 활용

📑 강의활용자료

※ 교사지원센터(http://teacher.ebsi.co.kr) 접속 후 '교사인증'을 통해 이용 가능

01회 미니모의고사

○ 알고 맞힘   /10   △ 헷갈림   /10   ✗ 모르고 틀림   /10

[21915-0001] ○ △ ✗

1 그림은 비행기가 활주로에서 등가속도 직선 운동하는 모습으로, 기준선을 통과하는 순간을 0초로 할 때 각 지점을 통과하는 시각을 나타낸 것이다.

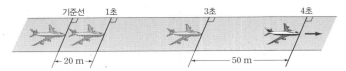

비행기의 운동에 대한 설명으로 옳은 것만을 〈보기〉에서 있는 대로 고른 것은? (단, 비행기의 크기는 무시한다.) [3점]

〈 보기 〉
ㄱ. 가속도의 크기는 $\frac{15}{2}$ m/s²이다.
ㄴ. 기준선을 통과할 때 속력은 15 m/s이다.
ㄷ. 1초에서 3초까지의 이동 거리는 70 m이다.

① ㄱ   ② ㄴ   ③ ㄷ
④ ㄱ, ㄴ   ⑤ ㄴ, ㄷ

[21915-0002] ○ △ ✗

2 그림 (가)는 1.5 m/s의 속력으로 운동하고 있는 물체 A가 질량 2 kg인 물체 C와 접촉한 채로 정지해 있는 물체 B를 향해 운동하는 것을 나타낸 것이고, (나)는 충돌 전후 A, B, C의 위치를 시간에 따라 나타낸 것이다.

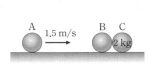

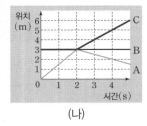

(가)   (나)

A의 질량은? (단, A, B, C는 일직선상에 있으며, 물체의 크기와 공기 저항은 무시한다.)

① 1.0 kg   ② 1.5 kg   ③ 2.0 kg
④ 2.5 kg   ⑤ 3.0 kg

[21915-0003] ○ △ ✗

3 그림 (가)는 물체 A, B, C가 실로 연결된 채 운동하다가 B와 C를 연결한 실이 끊어진 후 A, B, C가 등가속도 운동을 하는 것을 나타낸 것이고, (나)는 질량이 1 kg인 B가 점 P에서 점 Q까지 운동하는 동안 B의 속도를 시간에 따라 나타낸 것이다. B의 위치는 0초일 때 P이고, 3초일 때 Q이다.

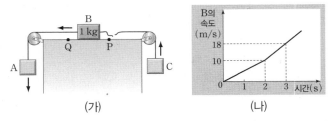

(가)   (나)

이에 대한 설명으로 옳은 것만을 〈보기〉에서 있는 대로 고른 것은? (단, B의 크기, 실의 질량, 모든 마찰과 공기 저항은 무시하고, 중력 가속도는 10 m/s²이다.) [3점]

〈 보기 〉
ㄱ. 질량은 A가 C의 4배이다.
ㄴ. 실이 끊어진 직후부터 1초 동안 A가 낙하한 거리는 14 m이다.
ㄷ. 실이 끊어진 직후부터 1초 동안 A의 역학적 에너지 감소량은 560 J이다.

① ㄱ   ② ㄷ   ③ ㄱ, ㄴ
④ ㄴ, ㄷ   ⑤ ㄱ, ㄴ, ㄷ

---

4 그림과 같이 실린더에 들어 있던 이상 기체 A에 열량 Q를 공급하였더니, 막대로 연결된 피스톤이 서서히 이동하다가 정지하였다. 두 피스톤의 단면적은 같고, 실린더와 피스톤은 단열되어 있으며, 가열 전 A, B의 온도, 부피, 압력은 같다.

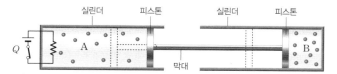

이에 대한 설명으로 옳은 것만을 〈보기〉에서 있는 대로 고른 것은? (단, 피스톤의 질량 및 실린더와 피스톤 사이의 마찰은 무시한다.) [3점]

〈 보기 〉

ㄱ. 피스톤이 정지한 후 내부 에너지는 A가 B보다 크다.
ㄴ. 피스톤이 이동하는 동안 A, B의 내부 에너지 증가량의 합은 Q이다.
ㄷ. 피스톤이 이동하는 동안 A가 외부에 한 일과 B가 외부로부터 받은 일은 같다.

① ㄱ   ② ㄷ   ③ ㄱ, ㄴ
④ ㄴ, ㄷ   ⑤ ㄱ, ㄴ, ㄷ

[21915-0005]

5 그림과 같이 정지한 버스에 대하여 우주선 P, Q, R가 각각 $+x$ 방향으로 $0.7c$, $+y$ 방향으로 $0.8c$, $-y$ 방향으로 $0.9c$의 속력으로 등속 직선 운동을 하고 있다.

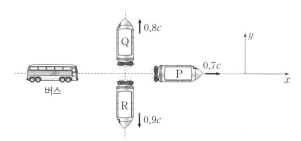

P, Q, R에서 측정한 물리량을 비교한 것으로 옳은 것만을 〈보기〉에서 있는 대로 고른 것은? (단, c는 빛의 속력이다.)

〈 보기 〉

ㄱ. 버스의 x축 방향의 길이는 P에서 측정할 때가 가장 크다.
ㄴ. 버스의 y축 방향의 길이는 Q에서 측정할 때가 가장 크다.
ㄷ. 버스에서의 시간은 R에서 측정할 때 가장 느리게 간다.

① ㄱ   ② ㄴ   ③ ㄷ
④ ㄴ, ㄷ   ⑤ ㄱ, ㄴ, ㄷ

6 그림 (가)와 같이 양(＋)전하로 대전된 도체구 A를 절연된 실로 매단 후, 음(－)전하로 대전된 도체구 B와 대전 여부를 알수 없는 도체구 C를 각각 A와 $2L$, L의 거리에 고정하였더니 A가 연직 방향으로 매달려 정지하였다. 그림 (나)는 (가)의 C와 도체구 D를 절연된 실로 가까이 매달았을 때 각각 기울어져 정지해 있는 모습을 나타낸 것이다. A, B, C, D는 모두 동일한 도체구이다.

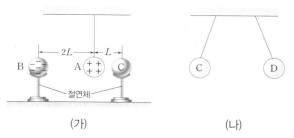

이에 대한 설명으로 옳은 것만을 〈보기〉에서 있는 대로 고른 것은? (단, 도체구의 반지름은 L에 비해 충분히 작다.) [3점]

〈 보기 〉

ㄱ. C는 양(＋)전하로 대전되어 있다.
ㄴ. 전하량의 크기는 B가 C보다 크다.
ㄷ. D는 음(－)전하로 대전되어 있다.

① ㄱ   ② ㄴ   ③ ㄱ, ㄷ
④ ㄴ, ㄷ   ⑤ ㄱ, ㄴ, ㄷ

[21915-0007] ○ △ ✕

7 그림은 보어의 수소 원자 모형에서 양자수 n에 따른 에너지 준위와 전자의 전이를 나타낸 것이다. 전자는 진동수 f_1인 빛을 흡수하면 $n=2$에서 $n=4$인 상태로 전이하고, $n=4$에서 $n=3$인 상태로 전이할 때 진동수 f_2인 빛을 방출하며, $n=3, 4$에서 $n=2$인 상태로 전이할 때 파장이 각각 λ_1, λ_2인 빛을 방출한다.

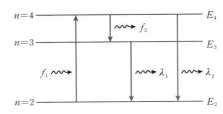

이에 대한 설명으로 옳은 것만을 〈보기〉에서 있는 대로 고른 것은? (단, c는 진공에서 빛의 속력이다.)

─〈 보기 〉─

ㄱ. 전자가 $n=4$에서 $n=2$인 상태로 전이할 때, 진동수 f_1인 빛을 방출한다.

ㄴ. $\lambda_1 < \lambda_2$이다.

ㄷ. $f_1 - f_2 = \dfrac{c}{\lambda_1}$이다.

① ㄱ   ② ㄴ   ③ ㄷ

④ ㄱ, ㄴ   ⑤ ㄱ, ㄷ

[21915-0008] ○ △ ✕

8 그림과 같이 xy 평면 위에 y축과 나란하게 고정된 무한히 가늘고 긴 직선 도선에 $+y$ 방향으로 세기가 I인 일정한 전류가 흐르고 있다. 직선 도선의 왼쪽 영역을 P라 할 때, P에 놓인 동일한 사각 도선 A, B는 속력 v로 각각 $-x$와 $+x$ 방향으로 P에서 이동한다.

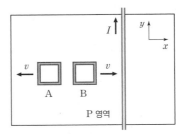

이에 대한 설명으로 옳은 것만을 〈보기〉에서 있는 대로 고른 것은? (단, A, B 사이의 상호 작용은 무시한다.) [3점]

─〈 보기 〉─

ㄱ. P에서 직선 도선에 흐르는 전류에 의한 자기장의 방향은 xy 평면에 수직으로 들어가는 방향이다.

ㄴ. A, B에 흐르는 유도 전류의 방향은 같다.

ㄷ. B의 속력이 $2v$일 때, B에 흐르는 유도 전류의 세기는 v일 때보다 크다.

① ㄴ   ② ㄷ   ③ ㄱ, ㄴ

④ ㄴ, ㄷ   ⑤ ㄱ, ㄴ, ㄷ

9 그림 (가)는 정삼각형 프리즘에 수직으로 입사한 빛이 매질 A 의 경계면에서 전반사하여 진행하는 경로를 나타낸 것이고, (나)는 (가)와 동일한 프리즘에 입사한 빛이 매질 B의 경계면에서 일부는 반사하고 일부는 굴절하는 모습을 나타낸 것이다.

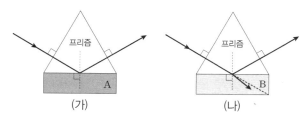

(가)   (나)

이에 대한 설명으로 옳은 것만을 〈보기〉에서 있는 대로 고른 것은?

〈 보기 〉

ㄱ. (가)에서 프리즘에서 A로 진행하는 빛의 임계각은 60°보다 작다.

ㄴ. (나)에서 빛이 프리즘에서 B로 진행할 때 속력이 커진다.

ㄷ. 굴절률은 A가 B보다 크다.

① ㄱ   ② ㄷ   ③ ㄱ, ㄴ
④ ㄴ, ㄷ   ⑤ ㄱ, ㄴ, ㄷ

10 다음은 광전 효과에 대한 가상 실험이다.

[실험 과정]

1. 파장 조절 슬라이더가 가시광선 영역의 적색에 오도록 하여 금속판에 비춰 주고 있는 단색광의 파장을 읽는다.

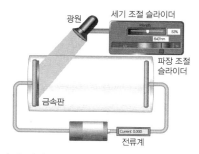

2. 세기 조절 슬라이더를 움직여 광원에서 나오는 단색광의 상대적 세기가 50 %일 때, 75 %일 때 광전자의 방출 여부를 확인한다.

3. 파장 조절 슬라이더가 가시광선 영역의 청색에 오도록 하여 파장을 읽고, 상대적 세기가 100 %일 때 광전자의 방출 여부를 확인한다.

[실험 결과]

단색광의 세기(%)	단색광의 색	광전자의 방출 여부
50	적색	방출 안 됨
75	적색	방출 안 됨
100	청색	방출됨

금속판에서 광전자가 방출되는 경우만을 〈보기〉에서 있는 대로 고른 것은?

〈 보기 〉

ㄱ. 파장 조절 슬라이더는 적색, 세기 조절 슬라이더는 100 %로 할 때

ㄴ. 파장 조절 슬라이더는 청색, 세기 조절 슬라이더는 50 %로 할 때

ㄷ. 파장 조절 슬라이더는 적외선, 세기 조절 슬라이더는 20 %로 할 때

① ㄱ   ② ㄴ   ③ ㄱ, ㄷ
④ ㄴ, ㄷ   ⑤ ㄱ, ㄴ, ㄷ

02회 미니모의고사

○ 알고 맞힘 /10 △ 헷갈림 /10 ✕ 모르고 틀림 /10

[21915-0011] ○ △ ✕

1 다음은 힘과 가속도의 관계를 알아보기 위한 실험이다.

[실험 과정]

1. 그림과 같이 수평인 실험대에서 수레와 질량이 1 kg인 추를 실로 연결한다.

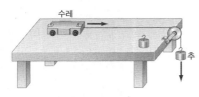

2. 수레를 잡고 있다가 놓은 후, 수레의 가속도의 크기를 측정한다.
3. 추에 질량이 1 kg인 추 1개를 더 연결하여 과정 2를 반복한다.
4. 과정 1에서 수레 위에 질량이 1 kg인 추 1개를 더 올려놓고 과정 2를 반복한다.

[실험 결과]

실험 과정	과정 2	과정 3	과정 4
가속도의 크기	$\frac{10}{3}$ m/s²	(가)	

이에 대한 설명으로 옳은 것만을 〈보기〉에서 있는 대로 고른 것은? (단, 중력 가속도는 10 m/s²이고, 실의 질량 및 모든 마찰과 공기 저항은 무시한다.) [3점]

〈보기〉

ㄱ. 수레의 질량은 2 kg이다.

ㄴ. (가)는 $\frac{20}{3}$ m/s²이다.

ㄷ. 수레의 가속도의 크기는 과정 3에서가 과정 4에서의 3배이다.

① ㄱ   ② ㄴ   ③ ㄱ, ㄷ

④ ㄴ, ㄷ   ⑤ ㄱ, ㄴ, ㄷ

[21915-0012] ○ △ ✕

2 그림 (가)와 같이 수평면에 정지해 있는 물체 B를 향해 물체 A가 운동량 $2p_0$으로 운동하고, B는 A와 충돌한 후 정지해 있던 물체 C와 충돌한다. 그림 (나)는 이 과정에서 A, B, C의 운동량을 시간에 따라 나타낸 것이다. 질량은 C가 B의 2배이다.

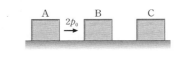

(가)

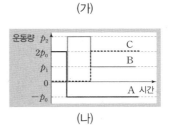

(나)

이에 대한 설명으로 옳은 것만을 〈보기〉에서 있는 대로 고른 것은? (단, A~C는 동일 직선상에서 운동하며, 물체의 크기와 공기 저항 및 모든 마찰은 무시한다.)

〈보기〉

ㄱ. $p_2 = 3p_0$이다.

ㄴ. B가 받은 충격량의 크기는 A와 충돌할 때가 C와 충돌할 때보다 크다.

ㄷ. B와 C가 충돌한 후 속력은 C가 B의 4배이다.

① ㄱ   ② ㄷ   ③ ㄱ, ㄴ

④ ㄴ, ㄷ   ⑤ ㄱ, ㄴ, ㄷ

3 그림 (가)는 천장에 한쪽 끝이 고정된 용수철 상수 k인 용수철에 질량 m인 물체를 연결하고 용수철이 늘어나거나 줄어들지 않은 탄성 퍼텐셜 에너지가 0인 상태에서 물체를 가만히 놓았더니 물체가 $2L$만큼 낙하했을 때 물체의 속력이 0이 된 후 다시 물체가 위로 올라가려는 모습을 나타낸 것이고, (나)는 (가)에서와 동일한 용수철에 물체를 연결한 후 물체를 연직 아래로 $1.5L$만큼 내린 후 물체를 가만히 놓았을 때 물체가 위로 올라가려는 모습을 나타낸 것이다.

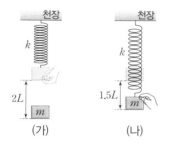

(가)   (나)

이에 대한 설명으로 옳은 것만을 〈보기〉에서 있는 대로 고른 것은? (단, 중력 가속도는 g이고, 물체의 크기, 용수철의 질량과 공기 저항은 무시한다.) [3점]

〈 보기 〉
ㄱ. $k = \dfrac{mg}{L}$이다.

ㄴ. 물체가 올라가는 동안 물체의 최대 속력은 (가)에서가 (나)에서의 $\dfrac{3}{4}$배이다.

ㄷ. (나)에서 물체가 최고점에 올라간 순간 탄성 퍼텐셜 에너지는 $\dfrac{1}{8}kL^2$이다.

① ㄱ   ② ㄴ   ③ ㄱ, ㄷ
④ ㄴ, ㄷ   ⑤ ㄱ, ㄴ, ㄷ

4 그림 (가)와 같이 단열된 실린더 내부에 일정량의 이상 기체가 들어 있다. 이상 기체의 부피는 V_0이고, 피스톤의 단면적은 S이다. 그림 (나)와 같이 피스톤의 고리에 질량이 m인 물체를 매단 후 손으로 받치면서 서서히 내렸더니, 이상 기체의 부피가 $2V_0$까지 팽창한 후 피스톤이 정지하였다.

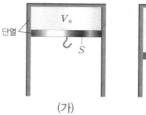

(가)   (나)

(가)에서 (나)로 변하는 동안, 이상 기체에 대한 설명으로 옳은 것만을 〈보기〉에서 있는 대로 고른 것은? (단, 중력 가속도는 g이고, 피스톤의 질량과 모든 마찰은 무시한다.) [3점]

〈 보기 〉
ㄱ. 외부로부터 일을 받는다.
ㄴ. 내부 에너지가 증가한다.
ㄷ. 압력이 $\dfrac{mg}{S}$만큼 감소한다.

① ㄱ   ② ㄴ   ③ ㄷ
④ ㄱ, ㄴ   ⑤ ㄱ, ㄷ

5 그림은 민호에 대하여 철수가 광속에 가까운 일정한 속도 v로 움직이는 우주선을 타고 행성 A를 지나 행성 B를 향해 운동하는 모습을 나타낸 것이다. 민호에 대하여 정지해 있는 A, B 사이의 거리를 민호가 측정하면 L_0이고, 철수가 측정하면 L이다. 우주선의 길이를 민호가 측정하면 d이고, 철수가 측정하면 d_0이다.

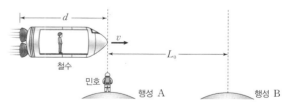

이에 대한 설명으로 옳은 것만을 〈보기〉에서 있는 대로 고른 것은? (단, A, B에 의한 중력 효과는 무시한다.)

〈 보기 〉
ㄱ. $d > d_0$이다.
ㄴ. $L > L_0$이다.
ㄷ. 철수가 측정할 때 우주선이 B에 도착하는 데 걸리는 시간은 $\dfrac{L_0}{v}$보다 작다.

① ㄱ   ② ㄴ   ③ ㄷ
④ ㄱ, ㄴ   ⑤ ㄱ, ㄴ, ㄷ

6 그림 (가)는 보어의 수소 원자 모형에서 전자의 에너지 준위를 양자수 n에 따라 나타낸 것이고, (나)는 (가)에서 수소 원자의 전자가 전이하며 방출하는 발머 계열의 선 스펙트럼을 진동수에 따라 순서대로 나타낸 것으로, 방출되는 빛의 진동수는 f_1일 때가 가장 작다.

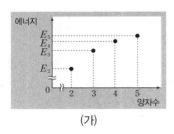

(가)

발머 계열의 선 스펙트럼

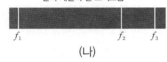

(나)

이에 대한 설명으로 옳은 것만을 〈보기〉에서 있는 대로 고른 것은? (단, h는 플랑크 상수이다.)

〈보기〉
ㄱ. $hf_1 = E_3 - E_2$이다.
ㄴ. 광자 1개의 에너지는 진동수가 f_2인 빛이 f_3인 빛보다 크다.
ㄷ. 전자가 $n=5$에서 $n=4$인 상태로 전이할 때 방출되는 빛의 진동수는 $(f_3 - f_2)$이다.

① ㄱ   ② ㄴ   ③ ㄱ, ㄷ
④ ㄴ, ㄷ   ⑤ ㄱ, ㄴ, ㄷ

7 그림과 같이 각각 x축, y축에 수직인 전류가 흐르는 무한히 가늘고 긴 직선 도선 P, Q와 중심이 원점 O에 있는 원형 도선이 xy 평면에 고정되어 있으며, $d_1 < d_2$이다. 표는 각각 P, Q, 원형 도선에 흐르는 전류 I_P, I_Q, $I_원$에 의한 원형 도선 중심 O에서의 자기장의 세기를 나타낸 것이다.

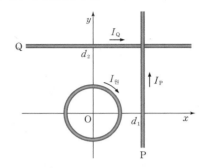

실험	I_P	I_Q	$I_원$	원형 도선 중심 O에서의 자기장의 세기
I	0	0	I	B
II	$5I$	0	I	0
III	$5I$	$5I$	0	$\frac{1}{2}B$
IV	$5I$	$10I$	$2I$	㉠

O에서의 자기장에 대한 설명으로 옳은 것만을 〈보기〉에서 있는 대로 고른 것은? [3점]

〈보기〉
ㄱ. 실험 III에서 자기장의 방향은 xy 평면에 수직으로 들어가는 방향이다.
ㄴ. ㉠은 $2B$이다.
ㄷ. 실험 IV에서 자기장의 방향은 xy 평면에서 수직으로 나오는 방향이다.

① ㄱ   ② ㄴ   ③ ㄱ, ㄷ
④ ㄴ, ㄷ   ⑤ ㄱ, ㄴ, ㄷ

[21915-0018] ○ △ ✕

8 그림 (가)는 수평면에 놓인 자석 위에서 자석의 윗면에 수직인 축을 따라 원형 도선을 운동시키는 모습을, (나)는 원형 도선의 중심의 위치를 시간에 따라 나타낸 것이다.

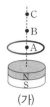
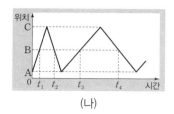

(가)   (나)

이에 대한 설명으로 옳은 것만을 〈보기〉에서 있는 대로 고른 것은? (단, 원형 도선은 회전하지 않는다.) [3점]

〈 보기 〉

ㄱ. B를 지날 때 원형 도선에 흐르는 유도 전류의 방향은 t_1일 때와 t_2일 때가 같다.

ㄴ. B를 지날 때 원형 도선에 흐르는 유도 전류의 세기는 t_2일 때가 t_3일 때보다 크다.

ㄷ. 원형 도선이 자석으로부터 받는 자기력의 방향은 t_3일 때와 t_4일 때가 같다.

① ㄴ   ② ㄷ   ③ ㄱ, ㄴ
④ ㄱ, ㄷ   ⑤ ㄴ, ㄷ

[21915-0019] ○ △ ✕

9 그림 (가)는 니켈 결정에 전자를 입사시킨 후 전자 검출기로 결정에서 산란되는 전자 수를 측정하는 모습을 나타낸 것이고, (나)는 검출기의 각도 θ에 따라 산란된 전자의 수를 나타낸 것으로, $\theta = 50°$일 때 검출기에 도달한 전자의 상대적 수가 최대이다.

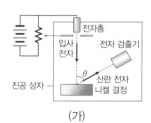
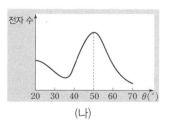

(가)   (나)

이에 대한 설명으로 옳은 것만을 〈보기〉에서 있는 대로 고른 것은?

〈 보기 〉

ㄱ. 전자가 파동의 성질을 가지고 있음을 나타낸다.

ㄴ. $\theta = 50°$의 방향으로 산란된 전자들은 상쇄 간섭 조건을 만족한다.

ㄷ. 이 실험으로 드브로이 물질파 이론이 검증되었다.

① ㄱ   ② ㄴ   ③ ㄱ, ㄷ
④ ㄴ, ㄷ   ⑤ ㄱ, ㄴ, ㄷ

[21915-0020] ○ △ ✕

10 그림 (가)는 신호 발생기에 연결된 스피커에서 발생된 진동수가 일정한 소리가 스피커로부터 일정 거리만큼 떨어진 위치의 마이크로 진행하는 모습을, (나)는 (가)와 동일한 조건에서 스피커와 마이크 사이에 이산화 탄소가 든 풍선을 놓았을 때 풍선을 통해 소리가 진행하는 모습을 모식적으로 나타낸 것이다. 마이크에 입력된 소리의 세기는 (나)에서가 (가)에서보다 크다.

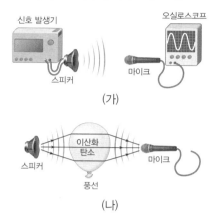

(가)

(나)

이에 대한 설명으로 옳은 것만을 〈보기〉에서 있는 대로 고른 것은? (단, 공기와 이산화 탄소의 온도는 같고 일정하며, 풍선에 의한 영향은 무시한다.)

〈 보기 〉

ㄱ. 스피커에서는 소리가 전기 신호로 변환된다.

ㄴ. 소리의 속력은 공기에서가 이산화 탄소에서보다 빠르다.

ㄷ. 마이크에 입력된 소리의 세기가 (나)에서가 (가)에서보다 크게 측정되는 것은 소리의 회절로 설명할 수 있다.

① ㄴ   ② ㄷ   ③ ㄱ, ㄴ
④ ㄱ, ㄷ   ⑤ ㄱ, ㄴ, ㄷ

03회 미니모의고사

EBS 수능특강 Q 미니모의고사 물리학 I

○ 알고 맞힘 ___ /10 △ 헷갈림 ___ /10 ✕ 모르고 틀림 ___ /10

[21915-0021] ○ △ ✕

1 그림과 같이 직선 도로에서 자동차가 기준선 P를 속력 v로 지나 기준선 Q를 최고 속력으로 통과한 후, 기준선 R를 속력 $3v$로 지나고 있다. P와 Q 사이의 거리는 L_1, Q와 R 사이의 거리는 L_2이며, 자동차가 L_1, L_2를 운동하는 동안 걸린 시간은 같고 가속도가 서로 다른 등가속도 직선 운동을 한다. 자동차가 P에서 R까지 운동할 때 평균 속력은 $3v$이다.

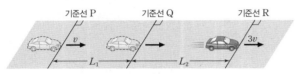

기준선 P   기준선 Q   기준선 R

$L_1 : L_2$는? (단, 자동차는 직선 도로와 나란하게 운동한다.) [3점]

① 1 : 2   ② 1 : 3   ③ 2 : 3
④ 3 : 5   ⑤ 5 : 7

[21915-0022] ○ △ ✕

2 그림 (가)는 마찰이 없는 수평면 위에서 4 m/s의 속력으로 오른쪽으로 운동하던 질량 m kg인 물체 A가 정지해 있는 질량 $4m$ kg인 물체 B와 정면으로 충돌하는 것을, (나)는 충돌하는 동안 A가 B로부터 받는 힘의 크기를 시간에 따라 나타낸 것이다.

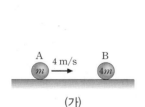

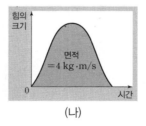

(가)   (나)

이에 대한 설명으로 옳은 것만을 〈보기〉에서 있는 대로 고른 것은?

〈 보기 〉
ㄱ. $m > 1$이면 충돌 후 A의 운동 방향은 충돌 전과 같다.
ㄴ. 충돌하는 동안 B가 받은 충격량의 크기는 4 N·s이다.
ㄷ. 충돌 후 B의 속력은 $\dfrac{1}{m}$ m/s이다.

① ㄱ   ② ㄷ   ③ ㄱ, ㄴ
④ ㄴ, ㄷ   ⑤ ㄱ, ㄴ, ㄷ

[21915-0023] ○ △ ✕

3 그림은 물체 A와 B를 실로 연결하고 빗면 위의 점 p에 A를 가만히 놓았더니 A가 점 q를 통과하는 모습을 나타낸 것이다. A, B의 질량은 각각 $2m$, m이다. A가 p에서 q까지 운동하는 동안 A의 중력 퍼텐셜 에너지 증가량은 $\dfrac{3}{4}E_0$이고, B의 중력 퍼텐셜 에너지 감소량은 E_0이다.

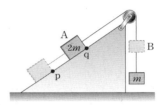

A가 p에서 q까지 운동하는 동안, 이에 대한 설명으로 옳은 것만을 〈보기〉에서 있는 대로 고른 것은? (단, 실의 질량 및 모든 마찰과 공기 저항은 무시한다.) [3점]

〈 보기 〉
ㄱ. A에 작용하는 알짜힘이 한 일은 B에 작용하는 알짜힘이 한 일보다 작다.
ㄴ. A가 q를 지나는 순간 B의 속력은 $\sqrt{\dfrac{E_0}{6m}}$이다.
ㄷ. B의 역학적 에너지는 감소한다.

① ㄱ   ② ㄷ   ③ ㄱ, ㄴ
④ ㄴ, ㄷ   ⑤ ㄱ, ㄴ, ㄷ

[21915-0024] ○ △ ✕

4 그림은 이상 기체로 채워진 어떤 열기관의 상태가 1주기 동안 A → B → C → D → A로 변화되는 것을 나타낸 것이다. 1주기 동안 고열원으로부터 공급받는 열량은 20 J이고, 저열원으로 방출하는 열량은 12 J이다.

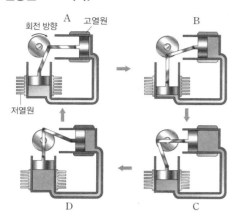

이 열기관에 대한 설명으로 옳은 것만을 〈보기〉에서 있는 대로 고른 것은? [3점]

〈 보기 〉

ㄱ. B → C 과정에서 외부에 일을 한다.
ㄴ. 1주기 동안 외부에 하는 일은 8 J이다.
ㄷ. 열효율은 60 %이다.

① ㄴ   ② ㄷ   ③ ㄱ, ㄴ
④ ㄱ, ㄷ   ⑤ ㄴ, ㄷ

[21915-0025] ○ △ ✕

5 그림 (가)와 같이 A, B로 만든 광섬유에 단색광을 B에 입사시켰더니, 단색광이 A와 B의 경계면에서 전반사하여 B 내에서 진행하였다. 그림 (나), (다)는 (가)의 단색광을 θ의 입사각으로 각각 A, B에 입사시키는 모습을 나타낸 것이다.

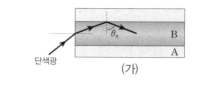

(가)

(나)   (다)

이에 대한 설명으로 옳은 것만을 〈보기〉에서 있는 대로 고른 것은?

〈 보기 〉

ㄱ. 굴절률은 A가 B보다 크다.
ㄴ. (가)에서 단색광이 B에서 A로 진행할 때 임계각은 θ_0보다 작다.
ㄷ. (나), (다)에서 단색광이 각각 A와 B를 통해서만 전달되기 위한 θ의 범위는 (다)에서가 (나)에서보다 크다.

① ㄱ   ② ㄷ   ③ ㄱ, ㄴ
④ ㄴ, ㄷ   ⑤ ㄱ, ㄴ, ㄷ

[21915-0026] ○ △ ✕

6 그림과 같이 철수와 영희가 동일한 우주선을 타고 있고, 철수가 보았을 때 영희의 우주선이 $0.8c$의 일정한 속력으로 철수의 우주선에 대해 나란하게 운동하고 있다. 철수와 영희가 스치는 순간 철수가 측정할 때 철수로부터 L_0만큼 같은 거리에 떨어져 있는 두 개의 광원 A와 B에서 동시에 빛이 방출되었다.

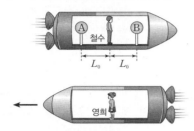

영희가 측정한 내용에 대한 설명으로 옳은 것만을 〈보기〉에서 있는 대로 고른 것은? (단, c는 빛의 속력이다.)

〈 보기 〉

ㄱ. 철수가 탄 우주선은 정지 상태이다.
ㄴ. A와 B 사이의 거리는 $2L_0$보다 크다.
ㄷ. 빛은 A에서가 B에서보다 먼저 방출되었다.

① ㄱ   ② ㄴ   ③ ㄷ
④ ㄱ, ㄴ   ⑤ ㄴ, ㄷ

[21915-0027] ○ △ ✕

7 표는 입자 A, B의 운동 에너지와 물질파 파장을 나타낸 것이다.

입자	운동 에너지	물질파 파장
A	$4E_0$	λ_0
B	E_0	$2\lambda_0$

A, B의 질량이 각각 m_A, m_B일 때, $m_A : m_B$는? [3점]

① 1 : 4   ② 1 : 2   ③ 1 : 1
④ 2 : 1   ⑤ 4 : 1

[21915-0028] ○ △ ✕

8 그림 (가)는 $x=0$, $x=a$, $x=3a$인 종이면에 고정되어 있는 무한히 가늘고 긴 세 직선 도선 A, B, C를 나타낸 것이고, (나)는 A, B에 세기가 I인 전류가 흐르고, C에 전류가 흐르지 않을 때 $0<x<a$인 곳에서 A, B에 흐르는 전류에 의한 자기장을 나타낸 것이다. 이때 종이면에서 수직으로 나오는 방향이 양($+$)의 방향이다.

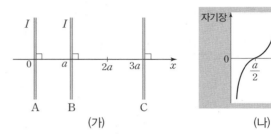

이에 대한 설명으로 옳은 것만을 〈보기〉에서 있는 대로 고른 것은? [3점]

〈 보기 〉

ㄱ. A와 B에 흐르는 전류의 방향은 같다.
ㄴ. B에 흐르는 전류의 방향은 위쪽이다.
ㄷ. $x=2a$인 곳에서 A, B, C에 흐르는 전류에 의한 자기장의 세기가 0이 되기 위해서 C에 흐르는 전류의 세기는 $2I$이다.

① ㄱ   ② ㄷ   ③ ㄱ, ㄴ
④ ㄴ, ㄷ   ⑤ ㄱ, ㄴ, ㄷ

[21915-0029]

9 그림은 p형 반도체와 n형 반도체를 접합하여 만든 발광 다이오드(LED) A와 B, 다이오드 Q를 전원 장치에 연결한 모습을 나타낸 것으로, A에서는 빛이 방출되고 있다. X, Y는 p형 반도체와 n형 반도체를 순서 없이 나타낸 것이다.

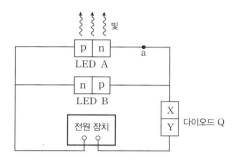

이에 대한 설명으로 옳은 것만을 〈보기〉에서 있는 대로 고른 것은?

─〈 보기 〉─

ㄱ. B에 전류가 흐른다.

ㄴ. 점 a에서 전류의 방향은 왼쪽이다.

ㄷ. Q의 Y는 전자가 많아지도록 도핑되었다.

① ㄱ   ② ㄷ   ③ ㄱ, ㄴ

④ ㄴ, ㄷ   ⑤ ㄱ, ㄴ, ㄷ

[21915-0030]

10 그림은 전하 결합 소자(CCD)에 도달한 동일한 빛에 의해 동일한 광 다이오드의 p-n 접합면에서 입자 ⓐ가 발생하여 n형 반도체 쪽으로 이동하는 모습을 나타낸 것이다. ⓐ는 광전자와 양공 중 하나이고, 단위 시간당 방출되는 ⓐ는 파란색 필터와 연결된 광 다이오드의 p-n 접합면에서 가장 많고, 초록색 필터와 연결된 광 다이오드의 p-n 접합면에서는 발생하지 않았다.

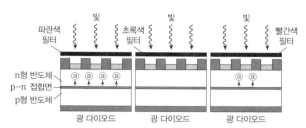

이에 대한 설명으로 옳은 것만을 〈보기〉에서 있는 대로 고른 것은?

─〈 보기 〉─

ㄱ. ⓐ는 광전자이다.

ㄴ. 빛에는 초록색 빛이 포함되어 있다.

ㄷ. 색 필터를 통과한 빛의 세기는 빨간색 필터를 통과한 빛이 파란색 필터를 통과한 빛보다 세다.

① ㄱ   ② ㄷ   ③ ㄱ, ㄴ

④ ㄴ, ㄷ   ⑤ ㄱ, ㄴ, ㄷ

04_회 미니모의고사

제한 시간 15분 / 배점 25점

EBS 수능특강 Q 미니모의고사 **물리학 I**

O 알고 맞힘 /10 △ 헷갈림 /10 ✗ 모르고 틀림 /10

[21915-0031] ○ △ ✗

1 그림과 같이 질량 20 kg인 상자에 연결되어 나무에 걸쳐진 줄을 질량 4 kg인 원숭이가 반대편 줄을 당기면서 연직 위 방향으로 크기가 0.5 m/s²인 등가속도 직선 운동을 하고 있다.

이에 대한 설명으로 옳은 것만을 〈보기〉에서 있는 대로 고른 것은? (단, 중력 가속도는 10 m/s²이고, 줄과 나무 사이의 마찰 및 줄의 질량과 공기 저항은 무시한다.) [3점]

〈 보기 〉
ㄱ. 원숭이에게 작용하는 알짜힘의 크기는 2 N이다.
ㄴ. 줄이 원숭이에게 작용하는 힘의 크기는 42 N이다.
ㄷ. 지면이 상자를 떠받치는 힘의 크기는 160 N이다.

① ㄱ   ② ㄴ   ③ ㄱ, ㄴ
④ ㄱ, ㄷ   ⑤ ㄴ, ㄷ

[21915-0032] ○ △ ✗

2 그림 (가)는 질량 m인 철수가 트램펄린 점프를 하는 모습을 나타낸 것이며, (나)는 철수가 높이 h_A에서 낙하하여 트램펄린과 충돌하기 직전을 0초로 할 때, 트램펄린이 철수에 작용한 힘을 시간에 따라 나타낸 것이다. 그래프 아래 면적은 $0 \sim t_1$ 동안에는 $2S$, $t_2 \sim t_3$ 동안에는 S이고, $t_1 = t_3 - t_2$이며, 철수는 최고 높이 h_A, h_B를 순서대로 올라갔다.

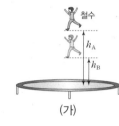 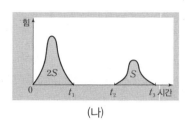

(가)   (나)

이에 대한 설명으로 옳은 것만을 〈보기〉에서 있는 대로 고른 것은? (단, 중력 가속도는 g이며, 철수가 공중에 떠 있는 동안 공기 저항과 모든 마찰은 무시한다.) [3점]

〈 보기 〉
ㄱ. 트램펄린이 철수에 작용한 평균 힘의 크기는 $0 \sim t_1$ 동안에서가 $t_2 \sim t_3$ 동안에서보다 크다.
ㄴ. 시각이 t_1, t_2일 때 철수의 속력은 같다.
ㄷ. S의 크기는 $m(\sqrt{2gh_A} + \sqrt{2gh_B})$이다.

① ㄱ   ② ㄷ   ③ ㄱ, ㄴ
④ ㄴ, ㄷ   ⑤ ㄱ, ㄴ, ㄷ

[21915-0033] ○ △ ✕

3 그림은 마찰이 없는 수평면 위의 질량이 4 kg인 물체가 질량이 1 kg인 추와 실로 연결되어 등가속도 직선 운동을 하는 것을 나타낸 것이다. 물체는 P 지점을 2 m/s의 속력으로 통과한 후 1 m 떨어진 Q 지점을 v의 속력으로 통과한다.

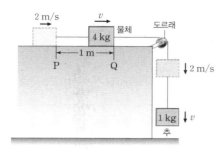

이에 대한 설명으로 옳은 것만을 〈보기〉에서 있는 대로 고른 것은? (단, 중력 가속도는 10 m/s²이고, 실의 질량 및 도르래의 마찰과 공기 저항은 무시한다.) [3점]

〈 보기 〉
ㄱ. 물체에 작용하는 알짜힘의 크기는 8 N이다.
ㄴ. 물체가 P에서 Q까지 이동하는 동안 추의 감소한 역학적 에너지는 4 J이다.
ㄷ. $v=4$ m/s이다.

① ㄱ   ② ㄷ   ③ ㄱ, ㄴ
④ ㄴ, ㄷ   ⑤ ㄱ, ㄴ, ㄷ

[21915-0034] ○ △ ✕

4 다음은 태양에서 일어나는 핵반응식 A와 B를 나타낸 것이다.

A : $_1^2\text{H} + _1^2\text{H} \longrightarrow$ (가) $+ _1^1\text{H} + 4.0$ MeV

B : $_1^2\text{H} +$ (가) $\longrightarrow _2^4\text{He} +$ (나) $+ 17.6$ MeV

이에 대한 설명으로 옳은 것만을 〈보기〉에서 있는 대로 고른 것은?

〈 보기 〉
ㄱ. (가)는 중성자수가 양성자수보다 크다.
ㄴ. (나)는 양(+)전하를 띤다.
ㄷ. 반응 과정에서 질량 결손은 A에서가 B에서보다 크다.

① ㄱ   ② ㄴ   ③ ㄱ, ㄷ
④ ㄴ, ㄷ   ⑤ ㄱ, ㄴ, ㄷ

[21915-0035] ○ △ ✕

5 그림과 같이 종이면에 수직이고 세기가 각각 $2B$, B인 균일한 자기장 영역 I, II를 정사각형 도선이 일정한 속도로 이동한다. I에서 자기장의 방향은 종이면에 수직으로 들어가고, 정사각형 도선의 중심 P는 점 a, b, c를 지난다. 유도 전류의 방향은 P가 a를 지날 때와 c를 지날 때가 서로 같다.

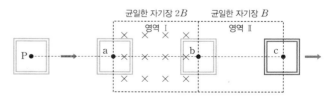

이에 대한 설명으로 옳은 것만을 〈보기〉에서 있는 대로 고른 것은?

〈 보기 〉
ㄱ. 자기장의 방향은 I에서와 II에서가 서로 반대이다.
ㄴ. 유도 전류의 방향은 P가 a를 지날 때와 b를 지날 때가 서로 같다.
ㄷ. 유도 전류의 세기는 P가 b를 지날 때가 c를 지날 때보다 작다.

① ㄱ   ② ㄴ   ③ ㄱ, ㄷ
④ ㄴ, ㄷ   ⑤ ㄱ, ㄴ, ㄷ

[21915-0036] ○ △ ✕

6 그림 (가)는 p형, n형 반도체를 접합하여 만든 발광 다이오드(LED)를 직류 전원 장치에 연결하였을 때 빛이 나오는 것을 나타낸 것이다. 그림 (나)와 (다)는 저마늄(Ge)에 각각 비소(As)와 인듐(In)을 도핑하였을 때 원자가 전자의 배열을 나타낸 것이다.

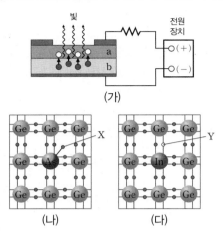

이에 대한 설명으로 옳은 것만을 〈보기〉에서 있는 대로 고른 것은?

〈 보기 〉
ㄱ. (가)의 a와 (나)의 원자가 전자의 배열은 p형 반도체에 해당한다.
ㄴ. Y는 양공이다.
ㄷ. X를 전기장 속에 두었을 때, X가 받는 전기력의 방향은 전기장의 방향과 같다.

① ㄴ ② ㄷ ③ ㄱ, ㄴ
④ ㄱ, ㄷ ⑤ ㄱ, ㄴ, ㄷ

[21915-0037] ○ △ ✕

7 그림 (가)는 점전하 A, B가 거리 r만큼 떨어져 고정된 모습을, (나)는 점전하 A, C가 거리 $2r$만큼 떨어져 고정된 모습을 나타낸 것이다. (가)에서 B가 받는 전기력의 크기와 (나)에서 C가 받는 전기력의 크기는 같고 방향은 반대이다.

이에 대한 설명으로 옳은 것만을 〈보기〉에서 있는 대로 고른 것은?

〈 보기 〉
ㄱ. 전하의 종류는 B와 C가 같다.
ㄴ. 전하량의 크기는 C가 B보다 크다.
ㄷ. (가)와 (나)에서 A가 받는 전기력의 크기는 같다.

① ㄱ ② ㄴ ③ ㄷ
④ ㄱ, ㄴ ⑤ ㄴ, ㄷ

[21915-0038] ○ △ ✕

8 그림과 같이 공기에서 단색광이 매질 A에 수직으로 입사되어 매질 B와 C를 지난다. C에서 공기로 나오는 단색광의 진행 방향은 A에 입사될 때의 진행 방향과 나란하다.

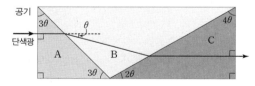

이에 대한 설명으로 옳은 것만을 〈보기〉에서 있는 대로 고른 것은? [3점]

〈 보기 〉
ㄱ. 단색광의 진동수는 B에서가 A에서보다 크다.
ㄴ. 단색광의 파장은 B에서가 C에서의 $\sqrt{\dfrac{2}{3}}$ 배이다.
ㄷ. 굴절률은 A가 C의 3배이다.

① ㄱ ② ㄴ ③ ㄷ
④ ㄱ, ㄷ ⑤ ㄴ, ㄷ

[21915-0039] ○ △ ✕

9 그림 (가)는 단열된 실린더가 피스톤 p에 의해 부피가 같은 두 영역으로 나누어져 온도가 같은 동일한 이상 기체 A, B가 같은 양만큼 들어 있는 것을 나타낸 것이다. 단열되지 않은 p는 실린더에 고정되어 있고 단열된 피스톤 q는 정지해 있으며 자유롭게 움직일 수 있다. 그림 (나)는 A에 열량 8 J을 공급했더니 B가 압력을 일정하게 유지하며 부피가 서서히 팽창하여 q가 정지한 모습을 나타낸 것이다. (나)에서 A, B의 온도는 같았고, 이 과정에서 B의 내부 에너지 변화량은 3 J이다.

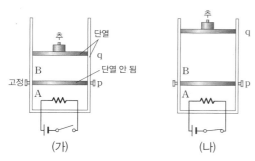

(가)   (나)

이에 대한 설명으로 옳은 것만을 〈보기〉에서 있는 대로 고른 것은? (단, p, q의 질량, p가 흡수한 열량, 실린더와 피스톤 사이의 마찰은 무시한다.) [3점]

〈 보기 〉
ㄱ. A의 온도는 (가)에서가 (나)에서보다 낮다.
ㄴ. B가 외부에 한 일은 2 J이다.
ㄷ. (나)에서 p의 고정핀을 제거하면 A의 부피는 증가한다.

① ㄱ   ② ㄷ   ③ ㄱ, ㄴ
④ ㄴ, ㄷ   ⑤ ㄱ, ㄴ, ㄷ

[21915-0040] ○ △ ✕

10 그림 (가)는 어떤 전자 현미경의 구조를 대략적으로 나타낸 것이다. 그림 (나)의 A, B는 세포를 종류가 서로 다른 전자 현미경을 통해 본 영상을 나타낸 것으로, A는 2차원 영상, B는 3차원 영상이다.

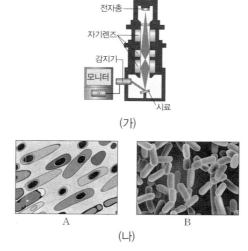

(가)

(나)

이에 대해 옳게 말한 사람만을 〈보기〉에서 있는 대로 고른 것은?

〈 보기 〉
철수: (가)는 주사 전자 현미경(SEM)이야.
영희: 자기렌즈는 전자를 초점으로 모으는 역할을 해.
민수: (가)의 현미경으로 B 영상을 관찰할 수 있어.

① 철수   ② 영희   ③ 철수, 민수
④ 영희, 민수   ⑤ 철수, 영희, 민수

05회 미니모의고사

○ 알고 맞힘 /10 △ 헷갈림 /10 ✗ 모르고 틀림 /10

[21915-0041] ○ △ ✗

1 다음은 등가속도 직선 운동에 대한 실험이다.

[실험 과정]

1. 수평인 실험대에 올려놓은 역학 수레를 도르래를 통해 실로 추와 연결한다.

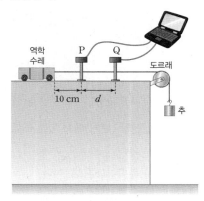

2. 포토게이트 P, Q를 설치하고 P와 역학 수레 사이의 거리를 10 cm로 고정한다.
3. 추를 가만히 놓아 수레가 P와 Q 사이를 이동하는 데 걸린 시간을 측정한다.
4. P는 고정하고 Q만 이동시켜 P와 Q 사이의 거리인 d를 변화시키면서 과정 3을 반복한다.

[실험 결과]

	실험 1	실험 2	실험 3
d	30 cm	80 cm	㉠
걸린 시간	1초	2초	3초

이 실험에 대한 설명으로 옳은 것만을 〈보기〉에서 있는 대로 고른 것은? (단, 수레의 크기, 실의 질량, 모든 마찰과 공기 저항은 무시한다.) [3점]

〈 보기 〉

ㄱ. 수레의 가속도의 크기는 0.4 m/s²이다.
ㄴ. 수레가 정지 상태에서 P까지 이동하는 데 걸린 시간은 1초이다.
ㄷ. ㉠은 150 cm이다.

① ㄱ ② ㄷ ③ ㄱ, ㄴ
④ ㄴ, ㄷ ⑤ ㄱ, ㄴ, ㄷ

[21915-0042] ○ △ ✗

2 그림 (가)와 같이 수평면 위의 일직선상에서 두 물체 A, B가 서로 반대 방향으로 각각 등속도 운동을 하다가 정면 충돌하였다. 그림 (나)는 충돌 전후 A, B의 속도를 시간에 따라 나타낸 것이다. B의 질량은 4 kg이다.

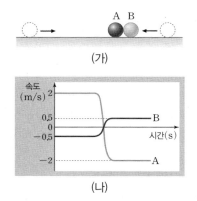

이에 대한 설명으로 옳은 것만을 〈보기〉에서 있는 대로 고른 것은? [3점]

〈 보기 〉

ㄱ. A, B가 충돌하는 동안, A가 B로부터 받은 충격량의 크기는 2 N·s이다.
ㄴ. 충돌 전 운동량의 크기는 A와 B가 같다.
ㄷ. 충돌 후 운동 에너지는 A가 B의 2배이다.

① ㄱ ② ㄴ ③ ㄱ, ㄴ
④ ㄱ, ㄷ ⑤ ㄴ, ㄷ

[21915-0043] ○ △ ✕

3 그림 (가)는 질량이 1 kg인 물체를 전동기로 끌어올리는 모습을 나타낸 것이고, (나)는 물체의 속력을 시간에 따라 나타낸 것이다.

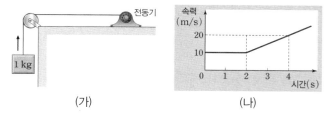

(가)   (나)

이에 대한 설명으로 옳은 것만을 〈보기〉에서 있는 대로 고른 것은? (단, 중력 가속도는 10 m/s^2이고, 실의 질량 및 모든 마찰과 공기 저항은 무시한다.)

〈 보기 〉
ㄱ. 0초~2초까지 실이 물체를 당기는 힘이 한 일은 100 J이다.
ㄴ. 3초일 때 실이 물체를 당기는 힘의 크기는 15 N이다.
ㄷ. 2초~4초까지 물체에 작용하는 알짜힘이 한 일은 물체의 역학적 에너지 증가량과 같다.

① ㄱ   ② ㄴ   ③ ㄱ, ㄷ
④ ㄴ, ㄷ   ⑤ ㄱ, ㄴ, ㄷ

[21915-0044] ○ △ ✕

4 그림 (가), (나)는 일정량의 단원자 분자 이상 기체의 부피를 V_2에서 V_1로 변화시키는 것을 나타낸 것으로, (가)는 단열 과정을, (나)는 등온 과정을 나타낸 것이다. 그림 (가), (나)에서 점선은 온도가 각각 T_1, T_2인 등온선이고, S_1과 S_2는 음영 부분의 면적을 나타낸다.

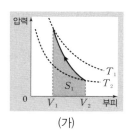 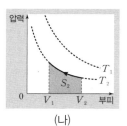

(가)   (나)

이에 대한 설명으로 옳은 것만을 〈보기〉에서 있는 대로 고른 것은? [3점]

〈 보기 〉
ㄱ. (가)에서 기체의 내부 에너지 증가량은 S_1이다.
ㄴ. (나)에서 기체가 방출한 열량은 S_2이다.
ㄷ. $T_1 > T_2$이다.

① ㄱ   ② ㄴ   ③ ㄱ, ㄷ
④ ㄴ, ㄷ   ⑤ ㄱ, ㄴ, ㄷ

[21915-0045] ○ △ ✕

5 그림과 같이 xy 좌표 평면 위 4개의 지점 $(1, 1)$, $(-1, 1)$, $(-1, -1)$, $(1, -1)$에 전하량 $+2Q$, $-Q$, $+2Q$, $-Q$로 대전된 점전하 A, B, C, D를 각각 고정시킨 다음, $(0, 0)$ 지점에 전하량 $+Q$로 대전된 점전하 E를 가만히 놓았다.

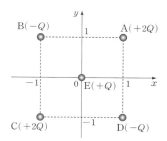

이에 대한 설명으로 옳은 것만을 〈보기〉에서 있는 대로 고른 것은?

〈 보기 〉
ㄱ. A가 E에 작용하는 전기력의 방향과 C가 E에 작용하는 전기력의 방향은 서로 반대이다.
ㄴ. A가 D에 작용하는 전기력의 크기는 B가 C에 작용하는 전기력의 크기의 2배이다.
ㄷ. B가 A에 작용하는 전기력의 방향과 C가 D에 작용하는 전기력의 방향은 모두 $+x$ 방향이다.

① ㄱ   ② ㄴ   ③ ㄷ
④ ㄱ, ㄴ   ⑤ ㄴ, ㄷ

[21915-0046] ○ △ ✕

6 다음의 (가)는 원자력 발전소 원자로에서의 우라늄 핵분열 과정을, (나)는 핵융합 발전소 토카막에서의 수소 핵융합 과정을 나타낸 것이다.

> (가) ${}^{235}_{92}\text{U} + {}^{1}_{0}\text{n} \longrightarrow {}^{141}_{56}\text{Ba} + \boxed{\ \ \bigcirc\ \ } + 3{}^{1}_{0}\text{n} + \text{약 } 200\text{ MeV}$
>
> (나) ${}^{2}_{1}\text{H} + {}^{2}_{1}\text{H} \longrightarrow {}^{4}_{2}\text{He} + 24\text{ MeV}$

이에 대한 설명으로 옳은 것만을 〈보기〉에서 있는 대로 고른 것은?

〈 보기 〉
ㄱ. ⊙의 (질량수−원자 번호)값은 ${}^{141}_{56}\text{Ba}$의 원자 번호와 같다.
ㄴ. (나)의 반응은 상온에서 일어난다.
ㄷ. (나)에서 발생한 에너지는 질량 결손에 의해서 발생한다.

① ㄱ ② ㄴ ③ ㄷ
④ ㄱ, ㄴ ⑤ ㄱ, ㄷ

[21915-0047] ○ △ ✕

7 그림 (가)는 보어의 수소 원자 모형에서 양자수 n에 따른 에너지 E_n과 들뜬상태의 전자가 $n=2$인 상태로 전이하는 4개의 과정을 나타낸 것이다. 그림 (나)는 (가)의 전이 과정에서 방출되는 4개의 스펙트럼선을 나타낸 것이다. 스펙트럼선의 진동수는 각각 f_a, f_b, f_c, f_d이다.

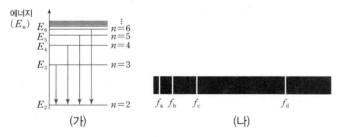

(가)   (나)

이에 대한 설명으로 옳은 것만을 〈보기〉에서 있는 대로 고른 것은? (단, h는 플랑크 상수이다.)

〈 보기 〉
ㄱ. 전자가 $n=3$에서 $n=2$인 상태로 전이할 때 진동수가 f_a인 빛이 방출된다.
ㄴ. $f_b < f_d$이다.
ㄷ. $f_c = \dfrac{E_4 - E_2}{h}$이다.

① ㄱ ② ㄴ ③ ㄷ
④ ㄱ, ㄷ ⑤ ㄴ, ㄷ

[21915-0048] ○ △ ✕

8 그림 (가), (나)는 각각 동일한 xz 평면 위에 있는 일정한 전류가 흐르는 무한히 긴 직선 도선 A, B와 원형 도선 C, D의 모습을 나타낸 것이다. (가)의 A, B는 C의 중심점 P로부터 각각 r만큼 떨어진 C의 양 옆에 서로 평행하게 놓여 있으며, (나)의 D는 중심이 점 Q이고 반지름이 $2r$이다. 표는 A, B에 각각 흐르는 전류의 세기와 방향, P, Q에서의 자기장의 세기와 방향을 나타낸 것이다.

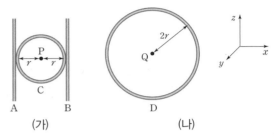

(가)   (나)

구분	A에 흐르는 전류의 세기와 방향	B에 흐르는 전류의 세기와 방향	P에서 C에 흐르는 전류에 의한 자기장의 세기와 방향	P에서 자기장의 세기와 방향	Q에서 자기장의 세기와 방향
(가)	I, $+z$ 방향	I, $+z$ 방향	⊙	B_0, $-y$ 방향	
(나)					$3B_0$, $-y$ 방향

이에 대한 설명으로 옳은 것만을 〈보기〉에서 있는 대로 고른 것은? (단, 모든 도선은 절연되어 있으며, 지구 자기장은 무시한다.) [3점]

〈 보기 〉
ㄱ. ⊙은 B_0, $-y$ 방향이다.
ㄴ. D에 흐르는 전류의 방향은 시계 반대 방향이다.
ㄷ. D에 흐르는 전류의 세기는 C에 흐르는 전류의 세기의 6배이다.

① ㄴ ② ㄷ ③ ㄱ, ㄴ
④ ㄱ, ㄷ ⑤ ㄱ, ㄴ, ㄷ

[21915-0049] ○ △ ✕

9 그림 (가), (나)는 용수철의 한쪽 끝을 잡고 각각 위아래, 앞뒤로 흔들고 있을 때 어느 순간의 용수철의 모습을 나타낸 것으로, 용수철의 진동에 의한 파동의 속력과 진행 방향은 서로 같다. (가)에서 이웃한 마루와 마루 사이의 거리는 $2l$이고, (나)에서 이웃한 가장 밀한 곳과 밀한 곳 사이의 거리는 $\frac{5}{4}l$이다. p와 q는 각각 (가)와 (나)의 용수철에 고정된 점이다.

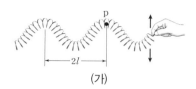

(가)

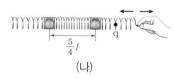

(나)

이에 대한 설명으로 옳은 것만을 〈보기〉에서 있는 대로 고른 것은? [3점]

〈 보기 〉
ㄱ. p와 q의 진동 방향은 서로 수직이다.
ㄴ. 파동의 파장은 (가)에서가 (나)에서의 $\frac{4}{5}$배이다.
ㄷ. 파동의 진동수는 (가)에서가 (나)에서의 $\frac{5}{8}$배이다.

① ㄱ   ② ㄴ   ③ ㄱ, ㄷ
④ ㄴ, ㄷ   ⑤ ㄱ, ㄴ, ㄷ

[21915-0050] ○ △ ✕

10 그림은 두 광전관의 금속판 P, Q에 단색광 A, B, C를 하나씩 비추는 모습을 나타낸 것이다. 표는 A, B, C를 하나씩 비추었을 때 P, Q에서의 광전자 방출 여부를 나타낸 것이다. B를 P에 비출 때와 C를 Q에 비출 때 방출되는 광전자의 최대 운동 에너지가 서로 같다.

단색광	광전자 방출 여부	
	P	**Q**
A	○	✕
B	○	○
C	○	○

(○ : 방출됨, ✕ : 방출 안 됨)

이에 대한 설명으로 옳은 것만을 〈보기〉에서 있는 대로 고른 것은?

〈 보기 〉
ㄱ. 금속의 문턱 진동수는 Q가 P보다 크다.
ㄴ. 진동수는 C가 B보다 크다.
ㄷ. 방출되는 광전자의 최대 운동 에너지는 B를 Q에 비출 때가 C를 P에 비출 때보다 크다.

① ㄱ   ② ㄷ   ③ ㄱ, ㄴ
④ ㄴ, ㄷ   ⑤ ㄱ, ㄴ, ㄷ

06회 미니모의고사

○ 알고 맞힘 /10 △ 헷갈림 /10 ✕ 모르고 틀림 /10

[21915-0051] ○ △ ✕

1 그림은 자동차 A, B가 길이가 L인 직선 다리의 기준선 P를 동시에 진입한 후, 직선 다리와 나란하게 각각 v_A, v_B의 속력으로 기준선 Q를 동시에 빠져 나오는 것을 나타낸 것이다. 다리에서 A는 등속도 운동을, B는 등가속도 직선 운동을 한다.

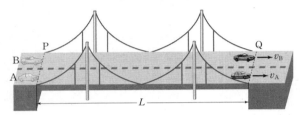

다리에서 A와 B의 속력이 같은 순간 A와 B 사이의 거리가 $\frac{1}{8}L$일 때, $\frac{v_B}{v_A}$로 가능한 것은? (단, A, B의 크기는 무시한다.)

① $\frac{2}{3}$ ② $\frac{3}{4}$ ③ 1

④ $\frac{4}{3}$ ⑤ $\frac{3}{2}$

[21915-0052] ○ △ ✕

2 그림 (가)는 마찰이 없는 수평면에서 질량이 m인 물체가 v_0의 일정한 속력으로 벽 앞에 놓인 스펀지를 향해 운동하는 것을 나타낸 것이다. 그림 (나)는 물체가 스펀지와 충돌하는 순간부터 정지할 때까지 물체의 속력을 시간에 따라 나타낸 것이다.

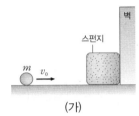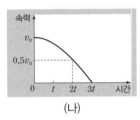

(가)   (나)

이에 대한 설명으로 옳은 것만을 〈보기〉에서 있는 대로 고른 것은? [3점]

〈 보기 〉

ㄱ. 0에서 $3t$까지 물체가 받은 충격량의 크기는 mv_0이다.

ㄴ. $2t$인 순간 물체에 작용하는 알짜힘의 방향은 물체의 운동 방향과 반대 방향이다.

ㄷ. 물체에 작용한 평균 힘의 크기는 0에서 $2t$까지가 $2t$에서 $3t$까지보다 크다.

① ㄱ   ② ㄴ   ③ ㄷ

④ ㄱ, ㄴ   ⑤ ㄴ, ㄷ

[21915-0053] ○ △ ✕

3 그림 (가)는 연직 아래로 낙하하는 물체가 수평면과 나란한 기준선 P, Q를 각각 속력 v, $2v$로 지나는 모습을 나타낸 것이고, (나)는 (가)와 동일한 물체에 연직 위 방향으로 일정한 크기의 힘 F를 작용하여 Q, P를 각각 속력 v, $2v$로 지나는 모습을 나타낸 것이다. P, Q의 높이 차는 h이다.

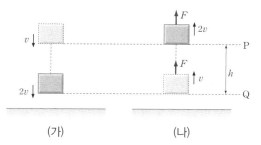

(가)　　　　　(나)

물체가 h만큼 운동하는 동안, (가)에서 중력이 물체에 한 일을 W_1, (나)에서 F가 물체에 한 일을 W_2라 할 때, $W_1 : W_2$는? (단, 공기 저항은 무시한다.) [3점]

① 1 : 1　　　　② 1 : 2　　　　③ 1 : 3

④ 2 : 3　　　　⑤ 3 : 4

[21915-0054] ○ △ ✕

4 그림은 일정량의 이상 기체의 상태가 각각 A → B, A → C 로 변할 때 압력과 부피의 관계를 나타낸 것이다. A → B는 등적 과정이고, A → C는 등압 과정이며, B, C에서 기체의 온도는 같다.

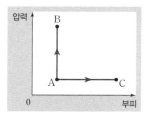

이에 대한 설명으로 옳은 것만을 〈보기〉에서 있는 대로 고른 것은?

── 〈 보기 〉 ──
ㄱ. A → B 과정에서 기체의 평균 속력은 감소한다.
ㄴ. A → C 과정에서 기체의 온도는 올라간다.
ㄷ. A → B 과정과 A → C 과정에서 기체가 흡수한 열량은 같다.

① ㄱ　　　　② ㄴ　　　　③ ㄱ, ㄷ

④ ㄴ, ㄷ　　　　⑤ ㄱ, ㄴ, ㄷ

[21915-0055] ○ △ ✕

5 그림과 같이 정지해 있는 철수에 대해 영희가 탄 우주선이 $0.9c$의 속도로 수평면과 나란하게 운동하고 있다. 철수가 측정하였을 때 뮤온 A, B가 동시에 기준선에서 생성되어 각각 $0.9c$, $0.8c$의 속도로 수평면과 나란하게 운동하고 있다. 정지 상태의 뮤온이 생성된 순간부터 붕괴하는 순간까지 걸리는 시간은 t_0이다.

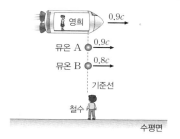

이에 대한 설명으로 옳은 것만을 〈보기〉에서 있는 대로 고른 것은? (단, c는 빛의 속력이다.)

── 〈 보기 〉 ──
ㄱ. 영희가 측정할 때 A가 생성된 순간부터 붕괴하는 순간까지 걸린 시간은 t_0이다.
ㄴ. 철수가 측정할 때 B가 A보다 먼저 붕괴한다.
ㄷ. 철수가 측정할 때 A가 생성된 순간부터 붕괴하는 순간까지 이동한 거리는 $0.9ct_0$보다 크다.

① ㄱ　　　　② ㄷ　　　　③ ㄱ, ㄴ

④ ㄴ, ㄷ　　　　⑤ ㄱ, ㄴ, ㄷ

6 그림 (가), (나)와 같이 $+Q$로 대전되어 있고 질량이 각각 m_A, m_B, m_C인 동일한 도넛 모양의 물체 A, B, C를 (가)에서는 A, B 순서로, (나)에서는 A, C 순서로 각각 절연된 막대 기둥에 끼워 넣었다. 이때 B, C는 바닥에 놓인 A 위에 각각 높이 h, $2h$ 만큼 떠서 정지하였다.

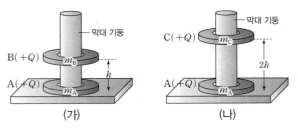

(가)　　　　　(나)

이에 대한 설명으로 옳은 것만을 〈보기〉에서 있는 대로 고른 것은? (단, 중력 가속도는 g이며, A, B, C의 두께와 모든 마찰 및 공기 저항은 무시한다.) [3점]

〈 보기 〉
ㄱ. (가)에서 A가 B에 작용하는 전기력의 크기는 $m_B g$이다.
ㄴ. m_B는 m_C보다 크다.
ㄷ. (가)에서 A가 바닥에 작용하는 힘의 크기는 $m_A g$이다.

① ㄴ　　　　② ㄷ　　　　③ ㄱ, ㄴ
④ ㄱ, ㄷ　　　⑤ ㄱ, ㄴ, ㄷ

7 그림 (가)는 z축과 나란한 무한히 긴 직선 도선 A, B, C와 직선 도선 사이의 x축 위에 위치한 점 P, Q, R를 나타낸 것이다. A, B, C와 P, Q, R 사이의 간격은 일정하다. 그림 (나)는 A, B, C에 각각 $-z$ 방향으로 흐르는 전류의 세기를 시간에 따라 나타낸 것이다.

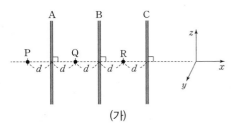

(가)

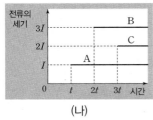

(나)

이에 대한 설명으로 옳은 것만을 〈보기〉에서 있는 대로 고른 것은? (단, 지구 자기장은 무시한다.) [3점]

〈 보기 〉
ㄱ. $1.5t$일 때 P에서의 자기장의 방향은 $-y$ 방향이다.
ㄴ. $2.5t$일 때 자기장의 세기는 P에서와 Q에서가 같다.
ㄷ. $3.5t$일 때 R에서 C에 흐르는 전류에 의한 자기장의 세기는 B에 흐르는 전류에 의한 자기장의 세기의 3배이다.

① ㄴ　　　　② ㄷ　　　　③ ㄱ, ㄴ
④ ㄱ, ㄷ　　　⑤ ㄱ, ㄴ, ㄷ

8 그림과 같이 동일한 p-n 접합 다이오드 5개와 저항, 스위치 S, 전압이 일정한 전원 장치를 사용해 회로를 구성하였다. S를 열었을 때는 저항에 전류가 흐르지 않고, S를 닫았을 때는 저항에 일정한 전류가 흐른다. X, Y, Z는 각각 p형 반도체 또는 n형 반도체이다.

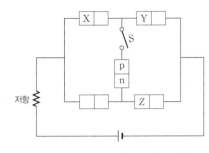

X, Y, Z 중 p형 반도체만을 있는 대로 고른 것은?

① X   ② Y   ③ X, Z

④ Y, Z   ⑤ X, Y, Z

9 그림 (가)와 같이 단색광 A를 공기에서 매질 I로 입사각 θ_i로 입사시켰더니, 매질 II, III에서 굴절하며 진행하였다. θ_c는 매질 III과 공기의 경계에서의 임계각이다. 그림 (나)는 A가 광섬유의 코어에서 클래딩으로 진행할 때 임계각 θ로 입사하는 것을 나타낸 것이다.

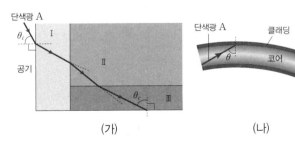

(가)   (나)

이에 대한 설명으로 옳은 것만을 〈보기〉에서 있는 대로 고른 것은?

〈 보기 〉

ㄱ. A의 속력은 I 에서가 II 에서보다 크다.
ㄴ. θ_i를 작게 하면 A는 III과 공기의 경계에서 전반사한다.
ㄷ. I, II, III 중에서 코어를 I, 클래딩을 III으로 만들 때 θ가 가장 작다.

① ㄱ   ② ㄴ   ③ ㄷ

④ ㄱ, ㄴ   ⑤ ㄴ, ㄷ

10 그림은 질량이 m인 입자 A와 질량이 $2m$인 입자 B의 운동 에너지 E_k에 따른 물질파 파장 λ를 나타낸 것이다.

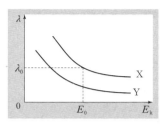

이에 대한 설명으로 옳은 것만을 〈보기〉에서 있는 대로 고른 것은? [3점]

〈 보기 〉

ㄱ. A에 해당하는 것은 X이다.
ㄴ. 물질파 파장이 λ_0일 때, 입자의 속력은 A가 B보다 작다.
ㄷ. 입자의 운동 에너지가 E_0일 때, 물질파 파장은 A가 B의 2배이다.

① ㄱ   ② ㄴ   ③ ㄱ, ㄷ

④ ㄴ, ㄷ   ⑤ ㄱ, ㄴ, ㄷ

07회 미니모의고사

○ 알고 맞힘 ___/10   △ 헷갈림 ___/10   ✕ 모르고 틀림 ___/10

[21915-0061] ○ △ ✕

1 다음은 물체의 운동을 분석하기 위한 실험이다.

[실험 과정]

(1) 그림과 같이 공기 부상 궤도로 빗면을 만들고, 초당 30프레임을 찍는 카메라를 장치한다.

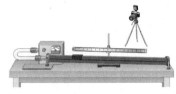

(2) 빗면 위에 활차를 가만히 놓고 활차의 운동을 촬영한다.

(3) 동영상 분석 프로그램을 사용하여 처음 정지 상태를 기준으로 6프레임 간격으로 활차의 위치를 기록한다.

[실험 결과]

프레임	0	6	12	18	24
위치 (cm)	0	2.5	10	22.5	40

활차의 운동에 대한 설명으로 옳은 것만을 〈보기〉에서 있는 대로 고른 것은? (단, 촬영된 동영상의 프레임 사이의 시간 간격은 일정하다.) [3점]

〈 보기 〉

ㄱ. 0프레임부터 24프레임이 촬영될 때까지 평균 속력은 0.5 m/s이다.

ㄴ. 가속도의 크기는 2.5 m/s²이다.

ㄷ. 12프레임이 촬영될 때 속력은 1 m/s이다.

① ㄱ   ② ㄷ   ③ ㄱ, ㄴ
④ ㄴ, ㄷ   ⑤ ㄱ, ㄴ, ㄷ

[21915-0062] ○ △ ✕

2 그림 (가)는 마찰이 없는 수평면 위의 일직선상에서 질량이 같은 공 A, B가 서로 반대 방향으로 일정한 속력 v_1, v_2로 각각 기준선 P, Q를 지나는 모습을 나타낸 것이고, (나)는 (가)에서 B의 운동 방향만 반대인 것을 나타낸 것이다. A와 B가 충돌할 때까지 걸린 시간은 (나)에서가 (가)에서 3배이다. (가), (나)에서 충돌 후 A, B의 속력은 각각 v_2, v_1이다. (가)에서 충돌 전후 A의 운동 방향은 반대이고, (나)에서 충돌 전후 A의 운동 방향은 같다.

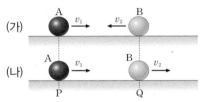

이에 대한 설명으로 옳은 것만을 〈보기〉에서 있는 대로 고른 것은? (단, A, B의 크기는 무시한다.)

〈 보기 〉

ㄱ. $v_1 = 2v_2$이다.

ㄴ. (가)에서 A와 B가 충돌하는 동안 A가 B로부터 받은 충격량의 크기는 B의 운동량 변화량의 크기와 같다.

ㄷ. 충돌하는 동안 A가 받은 충격량의 크기는 (가)에서가 (나)에서의 2배이다.

① ㄱ   ② ㄷ   ③ ㄱ, ㄴ
④ ㄴ, ㄷ   ⑤ ㄱ, ㄴ, ㄷ

3 그림 (가)와 같이 높이가 $5h$인 지점에서 질량이 m인 물체를 가만히 놓아 낙하시켰다. 그림 (나)는 물체가 용수철과 충돌한 후 용수철이 h만큼 압축되어 물체의 속력이 0이 된 순간의 모습을 나타낸 것이다.

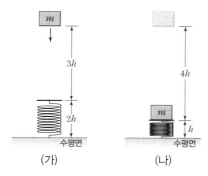

(가)   (나)

이에 대한 설명으로 옳은 것만을 〈보기〉에서 있는 대로 고른 것은? (단, 중력 가속도는 g이고, 수평면에서 중력 퍼텐셜 에너지는 0이며, 물체의 크기, 용수철의 질량, 공기 저항은 무시한다.) [3점]

〈 보기 〉
ㄱ. 물체가 용수철에 닿기 직전, 물체의 속력은 $\sqrt{6gh}$이다.
ㄴ. 물체가 용수철에 닿기 직전, 물체의 운동 에너지는 중력 퍼텐셜 에너지보다 작다.
ㄷ. 용수철 상수는 $\dfrac{6mg}{h}$이다.

① ㄱ   ② ㄷ   ③ ㄱ, ㄴ
④ ㄴ, ㄷ   ⑤ ㄱ, ㄴ, ㄷ

4 그림 (가)는 절대 온도가 T_1인 고열원에서 Q_1의 열을 흡수하여 W의 일을 하고 절대 온도가 T_2인 저열원으로 Q_2의 열을 방출하는 열기관을 모식적으로 나타낸 것이고, (나)는 이 열기관에 들어 있는 일정량의 이상 기체의 상태가 A → B → C → D → A를 따라 변할 때 기체의 부피와 압력을 나타낸 것이다. A → B, C → D 과정은 등온 과정, B → C, D → A 과정은 단열 과정이다.

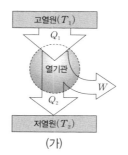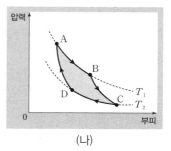

(가)   (나)

이에 대한 설명으로 옳은 것만을 〈보기〉에서 있는 대로 고른 것은?

〈 보기 〉
ㄱ. A → B 과정에서 Q_1을 흡수한다.
ㄴ. 기체가 한 번 순환할 때 Q_1-Q_2는 (나)의 색칠한 부분의 넓이와 같다.
ㄷ. $\dfrac{Q_2}{Q_1}$가 클수록 열기관의 열효율은 증가한다.

① ㄴ   ② ㄷ   ③ ㄱ, ㄴ
④ ㄱ, ㄷ   ⑤ ㄱ, ㄴ, ㄷ

[21915-0065] ○ △ ✕

5 그림과 같이 철수, 민수, 영희가 각각 우주 여행을 하며 관찰한 사실에 대하여 이야기하고 있다. 민수와 영희가 탄 우주선은 철수가 탄 우주선과 나란한 방향으로 운동하고, 민수가 관찰할 때 철수와 철수가 탄 우주선은 화살표 방향으로 이동하고 있다.

이에 대한 설명으로 옳은 것만을 〈보기〉에서 있는 대로 고른 것은? (단, c는 빛의 속력이다.)

〈 보기 〉

ㄱ. 민수가 측정할 때 철수가 탄 우주선의 길이는 L보다 작다.
ㄴ. 영희가 측정할 때 전구의 불빛은 A보다 B에서 먼저 검출된다.
ㄷ. 영희가 측정할 때 자신의 시간은 철수의 시간보다 빠르게 간다.

① ㄱ   ② ㄷ   ③ ㄱ, ㄴ
④ ㄱ, ㄷ   ⑤ ㄴ, ㄷ

[21915-0066] ○ △ ✕

6 그림은 저마늄(Ge)에 붕소(B), 인(P)을 각각 첨가한 반도체 X, Y를 접합한 p-n 접합 다이오드가 두 전원 장치와 스위치 S, 저항에 연결되어 있는 것을 나타낸 것이다.

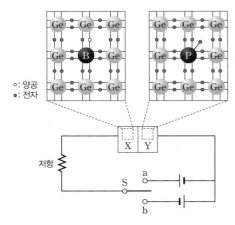

이에 대한 설명으로 옳은 것만을 〈보기〉에서 있는 대로 고른 것은?

〈 보기 〉

ㄱ. 원자가 전자는 인(P)이 붕소(B)보다 많다.
ㄴ. S를 a에 연결하면 Y의 내부에서 전자는 p-n 접합면에서 멀어지는 방향으로 이동한다.
ㄷ. S를 b에 연결하면 다이오드에는 순방향 전압이 걸린다.

① ㄱ   ② ㄷ   ③ ㄱ, ㄴ
④ ㄴ, ㄷ   ⑤ ㄱ, ㄴ, ㄷ

[21915-0067] ○ △ ✕

7 그림과 같이 전류가 흐르는 무한히 가늘고 긴 평행한 직선 도선 P, Q가 점 a, b, c와 같은 간격 d만큼 떨어져 xy 평면에 고정되어 있다. P에는 세기가 I인 전류가 $+y$ 방향으로, Q에는 세기가 I_Q인 전류가 흐르고 있고, I_Q는 I보다 세기가 크다. 표는 a, b, c에서 P와 Q에 의한 자기장의 세기를 나타낸 것이다.

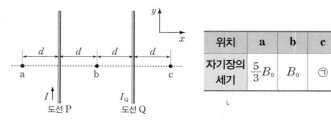

위치	a	b	c
자기장의 세기	$\frac{5}{3}B_0$	B_0	㉠

이에 대한 설명으로 옳은 것만을 〈보기〉에서 있는 대로 고른 것은?
[3점]

〈 보기 〉

ㄱ. $I_Q = 2I$이다.
ㄴ. a와 b에서 자기장의 방향은 서로 같다.
ㄷ. ㉠ $> \frac{5}{3}B_0$이다.

① ㄱ   ② ㄷ   ③ ㄱ, ㄴ
④ ㄴ, ㄷ   ⑤ ㄱ, ㄴ, ㄷ

[21915-0068] ○ △ ✕

8 그림은 x축상에 고정된 점전하 A, B, C를 나타낸 것이다. A 와 B 사이의 거리는 d이고, B와 C 사이의 거리는 $2d$이다. B의 전하량은 $+Q$이고, C에 작용하는 전기력은 0이다. B에 작용하는 전기력의 방향은 $+x$ 방향이다.

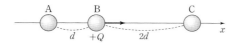

이에 대한 설명으로 옳은 것만을 〈보기〉에서 있는 대로 고른 것은? [3점]

〈 보기 〉

ㄱ. A의 전하량의 크기는 $\frac{9}{4}Q$이다.

ㄴ. A와 C 사이에는 서로 밀어내는 전기력이 작용한다.

ㄷ. A에 작용하는 전기력의 방향은 $-x$ 방향이다.

① ㄱ 　　② ㄷ 　　③ ㄱ, ㄴ

④ ㄴ, ㄷ 　　⑤ ㄱ, ㄴ, ㄷ

[21915-0069] ○ △ ✕

9 그림 (가)는 광전관에 전압이 일정한 전원 장치와 전류계를 연결하여 단색광 A, B를 각각 비추는 모습을 나타낸 것으로, 금속판의 문턱 진동수는 $1.5f_0$이다. A, B는 진동수가 각각 f_0, $2f_0$인 단색광이다. 그림 (나)는 A, B의 세기를 시간 t에 따라 나타낸 것이다.

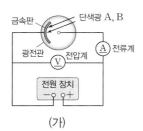 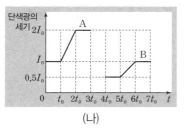

(가)　　　　　　　　　　(나)

이에 대한 설명으로 옳은 것만을 〈보기〉에서 있는 대로 고른 것은? [3점]

〈 보기 〉

ㄱ. 전류계에 흐르는 전류의 세기는 $0 < t < t_0$일 때가 $4t_0 < t < 5t_0$일 때보다 크다.

ㄴ. $5t_0 < t < 6t_0$일 때, 전류계에 흐르는 전류의 세기는 증가한다.

ㄷ. B에 의해 방출되는 광전자의 최대 운동 에너지는 $6t_0 < t < 7t_0$일 때가 $4t_0 < t < 5t_0$일 때보다 크다.

① ㄱ 　　② ㄴ 　　③ ㄷ

④ ㄴ, ㄷ 　　⑤ ㄱ, ㄴ, ㄷ

[21915-0070] ○ △ ✕

10 다음은 철수와 영희의 파동에 대한 탐구 활동이다.

[탐구 자료]

1. 그림은 진행하는 파동의 어느 순간 모습을 나타낸 것이다.
2. 철수와 영희가 각각 측정할 때 실선의 파동이 처음으로 점선 모양이 되는 데 걸린 시간은 1초로 같다.

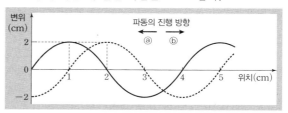

[탐구 수행]
• 철수와 영희가 측정한 파동의 진행 방향이 서로 반대일 때, 파동의 주기, 속력을 구한다.

[탐구 수행 결과]

구분	주기(s)	속력(cm/s)
철수	T_0	v_1
영희	4	

이에 대한 설명으로 옳은 것만을 〈보기〉에서 있는 대로 고른 것은?

〈 보기 〉

ㄱ. 철수가 측정한 파동의 진행 방향은 ⓐ이다.

ㄴ. $T_0 = \frac{4}{3}$초이다.

ㄷ. $v_1 = 4 \text{ cm/s}$이다.

① ㄴ 　　② ㄷ 　　③ ㄱ, ㄴ

④ ㄱ, ㄷ 　　⑤ ㄱ, ㄴ, ㄷ

08회 미니모의고사

○ 알고 맞힘 /10 △ 헷갈림 /10 ✕ 모르고 틀림 /10

[21915-0071] ○ △ ✕

1 그림 (가)는 직선 도로에서 자전거를 타고 같은 방향으로 직선 도로와 나란하게 운동하는 철수와 영희를 나타낸 것이고, (나)는 기준선을 지나는 순간부터 철수의 가속도와 영희의 변위를 시간에 따라 나타낸 것이다. 기준선을 지나는 순간 속력은 철수가 영희의 1.5배이고, 0초부터 4초까지 이동 거리는 철수와 영희가 같으며, 0초부터 2초까지 철수의 운동 방향은 일정하다.

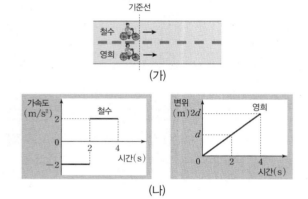

(가)

(나)

이에 대한 설명으로 옳은 것만을 〈보기〉에서 있는 대로 고른 것은?

〈 보기 〉
ㄱ. d는 8이다.
ㄴ. 2초 직전과 직후의 철수의 운동 방향은 반대이다.
ㄷ. 3초일 때 철수의 속력은 4 m/s이다.

① ㄱ   ② ㄷ   ③ ㄱ, ㄴ
④ ㄱ, ㄷ   ⑤ ㄴ, ㄷ

[21915-0072] ○ △ ✕

2 그림 (가)는 마찰이 없는 수평면에 정지해 있던 질량이 m인 물체에 수평면과 나란하게 크기가 F인 일정한 힘을 작용하면서 s만큼 이동시킨 것을, (나)는 물체를 s만큼 이동시킨 이후 힘을 제거하였을 때 벽을 향해 운동하던 물체가 벽과 충돌하는 과정에서 물체의 속도를 시간에 따라 나타낸 것이다.

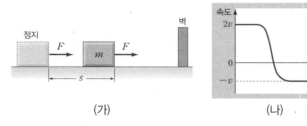

(가)   (나)

이에 대한 설명으로 옳은 것만을 〈보기〉에서 있는 대로 고른 것은?

〈 보기 〉
ㄱ. 물체가 s만큼 운동하는 동안 크기가 F인 힘으로부터 받은 충격량의 크기는 $2mv$이다.
ㄴ. 물체가 s만큼 운동하는 데 걸린 시간은 $\dfrac{2mv}{F}$이다.
ㄷ. 물체와 벽이 충돌하는 동안 물체가 벽에 가한 충격량의 크기는 mv이다.

① ㄱ   ② ㄷ   ③ ㄱ, ㄴ
④ ㄱ, ㄷ   ⑤ ㄴ, ㄷ

3 [21915-0073] ○ △ ✕

그림은 점 P의 연직 위에서 가만히 놓은 물체가 점 P, Q를 지나 낙하하는 모습을 나타낸 것이다. 표는 물체가 P, Q를 지날 때 물체의 운동 에너지와 중력 퍼텐셜 에너지를 나타낸 것이다. 지면에서 물체의 중력 퍼텐셜 에너지는 0이다.

위치	P	Q
운동 에너지	$3E_0$	$5E_0$
중력 퍼텐셜 에너지	$7E_0$	(가)

지면

이에 대한 설명으로 옳은 것만을 〈보기〉에서 있는 대로 고른 것은? (단, 공기 저항과 물체의 크기는 무시한다.) [3점]

〈 보기 〉

ㄱ. 물체의 역학적 에너지는 $8E_0$이다.
ㄴ. (가)는 $5E_0$이다.
ㄷ. 물체의 속력은 Q에서가 P에서의 $\sqrt{\dfrac{5}{3}}$ 배이다.
ㄹ. 지면에서 Q까지 높이는 P와 Q 사이 거리의 2배이다.

① ㄱ, ㄷ ② ㄱ, ㄹ ③ ㄴ, ㄷ
④ ㄱ, ㄴ, ㄹ ⑤ ㄴ, ㄷ, ㄹ

4 [21915-0074] ○ △ ✕

그림은 이상 기체의 상태가 A → B → C로 변할 때 압력과 부피의 관계를 나타낸 것이다. A → B는 등압 과정이고, B → C는 단열 과정이며, A와 C에서 기체의 온도는 같다.

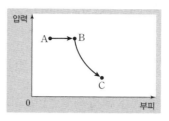

이 기체에 대한 설명으로 옳은 것만을 〈보기〉에서 있는 대로 고른 것은? [3점]

〈 보기 〉

ㄱ. A → B 과정에서 기체는 외부에 일을 한다.
ㄴ. B → C 과정에서 내부 에너지 감소량은 기체가 한 일과 같다.
ㄷ. 내부 에너지 변화량은 A → B 과정에서가 B → C 과정에서보다 크다.

① ㄱ ② ㄷ ③ ㄱ, ㄴ
④ ㄴ, ㄷ ⑤ ㄱ, ㄴ, ㄷ

5 [21915-0075] ○ △ ✕

그림과 같이 영희가 탄 우주선이 철수에 대해 $0.6c$의 속력으로 광원과 검출기 A를 잇는 직선과 나란한 방향으로 등속도 운동한다. 영희가 측정할 때, 광원에서 발생한 빛은 A와 검출기 B에 동시에 도달한다.

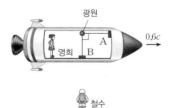

이에 대한 설명으로 옳은 것만을 〈보기〉에서 있는 대로 고른 것은? (단, c는 빛의 속력이다.)

〈 보기 〉

ㄱ. 광원에서 발생한 빛의 속력은 철수가 측정할 때와 영희가 측정할 때가 같다.
ㄴ. 철수가 측정할 때, 광원에서 A까지의 거리는 광원에서 B까지의 거리보다 크다.
ㄷ. 광원에서 발생한 빛이 B에 도달하는 데 걸린 시간은 철수가 측정할 때가 영희가 측정할 때보다 짧다.

① ㄱ ② ㄷ ③ ㄱ, ㄴ
④ ㄴ, ㄷ ⑤ ㄱ, ㄴ, ㄷ

[21915-0076] ○ △ ✕

6 그림 (가)는 보어의 수소 원자 모형에서 양자수 n에 따른 전자의 궤도와 에너지를 나타낸 것이다. a는 $n=1$에서 $n=3$인 상태로, b는 $n=3$에서 $n=2$인 상태로, c는 $n=2$에서 $n=1$인 상태로 전이하는 과정이다. 그림 (나)는 (가)의 a, b, c를 설명한 것으로, 바닥상태의 수소 원자가 진동수 f_0인 빛을 흡수하여 전자가 전이한 다음, 빛을 흡수한 수소 원자가 진동수 f_1인 빛을 방출하고 난 후 진동수가 f_2인 빛을 방출하여 바닥상태로 전이하는 것을 나타낸 것이다.

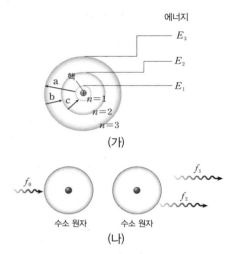

(가)

(나)

이에 대한 설명으로 옳은 것만을 〈보기〉에서 있는 대로 고른 것은? (단, h는 플랑크 상수이다.)

〈보기〉
ㄱ. $f_0=f_1+f_2$이다.
ㄴ. $f_2=\dfrac{E_3-E_2}{h}$이다.
ㄷ. 바닥상태에 있는 수소 원자는 에너지가 hf_1인 빛을 흡수할 수 있다.

① ㄱ　　② ㄴ　　③ ㄱ, ㄷ
④ ㄴ, ㄷ　　⑤ ㄱ, ㄴ, ㄷ

[21915-0077] ○ △ ✕

7 그림은 $+y$ 방향으로 일정한 세기의 전류가 흐르는 무한히 긴 직선 도선 A가 y축에 고정되어 있고, 일정한 세기의 전류가 각각 흐르는 원형 도선 B, C가 xy 평면에 고정되어 있는 것을 나타낸 것이다. 점 p는 B와 C의 공통 중심이다. 표는 B와 C에 흐르는 전류의 방향에 따른 p에서의 A, B, C에 의한 자기장을 나타낸 것이다.

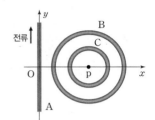

B에 흐르는 전류의 방향	C에 흐르는 전류의 방향	p에서의 A, B, C에 의한 자기장	
		세기	방향
시계 반대	시계 반대	0	없음
시계	시계 반대	B_0	㉠
시계	시계	$3B_0$	㉡

이에 대한 설명으로 옳은 것만을 〈보기〉에서 있는 대로 고른 것은? [3점]

〈보기〉
ㄱ. p에서 A에 의한 자기장의 세기는 $2B_0$이다.
ㄴ. ㉠과 ㉡은 같다.
ㄷ. p에서 C에 의한 자기장의 세기는 B에 의한 자기장의 세기의 3배이다.

① ㄴ　　② ㄷ　　③ ㄱ, ㄴ
④ ㄱ, ㄷ　　⑤ ㄱ, ㄴ, ㄷ

[21915-0078]

8 그림 (가)와 같이 $+y$ 방향의 균일한 자기장 영역에 자기화되지 않은 동일한 물체 A, B를 놓는다. 그림 (나)와 같이 솔레노이드로부터 d만큼 떨어져 있는 A를 수평면에서 움직였더니, 솔레노이드로부터 $2d$만큼 떨어져 정지해 있던 B가 고정된 솔레노이드로부터 멀어지는 방향으로 움직였다. ㉠, ㉡은 N극과 S극 중 하나이다.

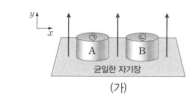

(가)

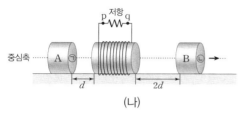

(나)

이에 대한 설명으로 옳은 것만을 〈보기〉에서 있는 대로 고른 것은?

〈 보기 〉
ㄱ. ㉠은 N극이다.
ㄴ. (나)에서 솔레노이드를 통과하는 A에 의한 자기 선속은 증가한다.
ㄷ. (나)에서 솔레노이드에 흐르는 전류의 방향은 q → 저항 → p이다.

① ㄱ
② ㄴ
③ ㄱ, ㄴ
④ ㄱ, ㄷ
⑤ ㄴ, ㄷ

[21915-0079]

9 다음은 물결파의 간섭에 대한 탐구 활동이다.

[탐구 자료]
그림은 두 점파원 S_1, S_2에서 진폭, 진동수, 파장 및 위상이 같은 물결파를 발생시키는 모습을 평면상에 모식적으로 나타낸 것이다. 파장은 λ이다.

[탐구 수행과 결과]
표는 평면상의 점 A, B, C, D가 각각 S_1, S_2로부터 떨어진 거리를 구한 것이다.

	A	B	C	D
S_1로부터의 거리	$r_1 - 2\lambda$	r_2	$r_1 - \dfrac{5\lambda}{2}$	$r_2 - \lambda$
S_2로부터의 거리	r_1	r_2	$r_1 - \dfrac{5\lambda}{2}$	$r_2 - \dfrac{\lambda}{2}$

이에 대한 설명으로 옳은 것만을 〈보기〉에서 있는 대로 고른 것은? [3점]

〈 보기 〉
ㄱ. B와 C에서는 수면의 높이가 주기적으로 바뀐다.
ㄴ. 진동수만을 2배로 증가시키면 A에서는 보강 간섭이 일어난다.
ㄷ. D에서는 상쇄 간섭이 일어난다.

① ㄴ
② ㄷ
③ ㄱ, ㄴ
④ ㄱ, ㄷ
⑤ ㄱ, ㄴ, ㄷ

[21915-0080]

10 그림은 세 입자 A, B, C의 질량과 운동 에너지를 나타낸 것이다.

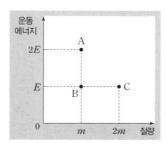

A, B, C의 드브로이 파장을 각각 λ_A, λ_B, λ_C라고 할 때, $\lambda_A : \lambda_B : \lambda_C$는? [3점]

① $1 : 2 : 1$
② $1 : \sqrt{2} : 1$
③ $\sqrt{2} : 1 : \sqrt{2}$
④ $2 : 1 : 1$
⑤ $2 : 1 : 2$

09회 미니모의고사

[21915-0081] ○ △ ✕

1 다음은 뉴턴 운동 제2법칙을 알아보기 위한 실험 과정과 결과이다.

[실험 과정]

(가) 수평인 실험대 위에 질량 m인 수레를 놓고, 수평 방향으로 크기가 F인 힘을 작용하고 가속도의 크기를 측정한다.

(나) (가)의 상태에서 힘의 크기만 $2F$로 증가시킨다.

(다) 수레 위에 질량이 M인 물체를 올려놓은 후, 수레에 수평 방향으로 크기가 $2F$인 힘을 작용하고 가속도의 크기를 측정한다.

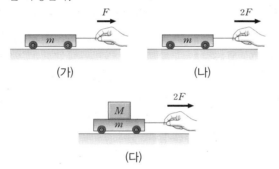

[실험 결과]

	(가)의 결과	(나)의 결과	(다)의 결과
가속도	a	㉠	$0.5a$

이에 대한 설명으로 옳은 것만을 〈보기〉에서 있는 대로 고른 것은? (단, 수레와 수평면 사이의 마찰과 공기 저항은 무시하고, (다)에서 물체는 미끄러지지 않는다.)

〈 보기 〉

ㄱ. $M=2m$이다.

ㄴ. ㉠은 $2a$이다.

ㄷ. (다)에서 수레에 작용하는 알짜힘의 크기는 $0.5F$이다.

① ㄱ   ② ㄴ   ③ ㄷ
④ ㄱ, ㄴ   ⑤ ㄴ, ㄷ

[21915-0082] ○ △ ✕

2 그림 (가)는 0초일 때 물체 B와 실로 연결되어 수평면에 정지해 있던 물체 A를 수평 방향으로 일정한 크기의 힘 F로 당겼더니 등가속도 운동을 하다가 2초일 때 실이 끊어진 후 A, B가 각각 등가속도 운동을 하는 모습을 나타낸 것으로, 실이 끊어진 후에도 A에는 F가 작용한다. 그림 (나)는 B의 운동량을 시간에 따라 나타낸 것이다. A의 가속도의 크기는 실이 끊어진 후가 끊어지기 전의 2배이다.

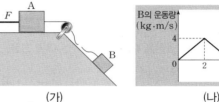

(가)   (나)

이에 대한 설명으로 옳은 것만을 〈보기〉에서 있는 대로 고른 것은? (단, A, B의 크기, 실의 질량, 모든 마찰과 공기 저항은 무시한다.) [3점]

〈 보기 〉

ㄱ. B의 운동 방향은 1초일 때와 3초일 때가 서로 반대이다.

ㄴ. 질량은 A가 B의 2배이다.

ㄷ. 3초일 때, A의 운동량의 크기는 16 kg·m/s이다.

① ㄱ   ② ㄴ   ③ ㄱ, ㄷ
④ ㄴ, ㄷ   ⑤ ㄱ, ㄴ, ㄷ

3 그림은 일정량의 이상 기체의 상태를 A → B → C → D 과정을 따라 변화시킬 때, 압력과 부피의 관계를 나타낸 것이다. A → B는 등압 과정이고, B → C는 등적 과정이며, C → D는 단열 과정이다. A → B 과정과 B → C 과정에서 기체가 흡수한 열량은 같다.

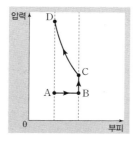

이에 대한 설명으로 옳은 것만을 〈보기〉에서 있는 대로 고른 것은? [3점]

〈 보기 〉

ㄱ. A → B 과정에서 기체는 외부에 일을 한다.
ㄴ. 기체의 내부 에너지 변화량은 A → B 과정에서가 B → C 과정에서보다 크다.
ㄷ. C → D 과정에서 기체의 온도는 증가한다.

① ㄱ   ② ㄴ   ③ ㄱ, ㄴ
④ ㄱ, ㄷ   ⑤ ㄴ, ㄷ

4 그림 (가)는 전동기로 지면에 놓여 있던 질량이 5 kg인 물체를 연직 위로 들어 올리는 것을 나타낸 것이고, (나)는 전동기가 물체를 당기는 힘을 물체의 이동 거리에 따라 나타낸 것이다.

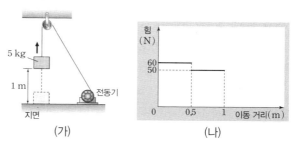

(가)   (나)

물체가 지면에서 1 m 올라갈 때까지, 이에 대한 설명으로 옳은 것만을 〈보기〉에서 있는 대로 고른 것은? (단, 중력 가속도는 10 m/s²이고, 모든 마찰과 공기 저항 및 줄의 질량은 무시한다.)

〈 보기 〉

ㄱ. 중력에 의한 퍼텐셜 에너지가 50 J 증가한다.
ㄴ. 줄이 물체를 당기는 힘이 한 일은 50 J이다.
ㄷ. 0.7 m 높이에서 물체의 운동 에너지는 5 J이다.

① ㄱ   ② ㄴ   ③ ㄱ, ㄷ
④ ㄴ, ㄷ   ⑤ ㄱ, ㄴ, ㄷ

5 그림과 같이 관찰자 A가 탄 우주선이 정지해 있는 관찰자 B에 대해 $0.6c$의 속력으로 등속도 운동을 한다. 광원 P에서 검출기 Q까지의 고유 거리는 L이다.

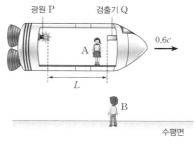

B가 측정한 내용으로 옳은 것만을 〈보기〉에서 있는 대로 고른 것은? (단, c는 빛의 속력이다.)

〈 보기 〉

ㄱ. P에서 방출된 빛의 속력은 A가 측정한 빛의 속력보다 크다.
ㄴ. P와 Q 사이의 거리는 L보다 작다.
ㄷ. P에서 방출된 빛이 Q까지 도달하는 데 걸린 시간은 $\dfrac{5L}{2c}$ 이다.

① ㄱ   ② ㄴ   ③ ㄷ
④ ㄱ, ㄴ   ⑤ ㄴ, ㄷ

6 그림 (가)는 xy 평면에 무한히 긴 직선 도선 A와 원형 도선 B를 고정시켜 놓은 것을 나타낸 것이다. A에는 $+x$ 방향으로 세기가 I인 전류가 흐르고, 점 P는 B의 중심이다. 그림 (나)는 (가)에서 A를 $+y$ 방향으로 $2d$만큼 이동시켜 고정하고, 무한히 긴 직선 도선 C를 y축과 나란하게 고정한 것을 나타낸 것이다. A에서 P까지의 거리와 C에서 P까지의 거리는 모두 d로 같고, (가), (나)의 P에서 전류에 의한 자기장은 0이다.

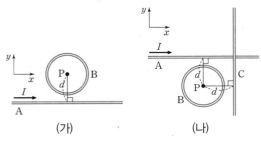

(가)   (나)

이에 대한 설명으로 옳은 것만을 〈보기〉에서 있는 대로 고른 것은? [3점]

〈보기〉
ㄱ. B에는 시계 방향으로 전류가 흐른다.
ㄴ. C에 흐르는 전류의 세기는 I보다 크다.
ㄷ. (나)의 P에서 C에 흐르는 전류에 의한 자기장의 세기는 B에 흐르는 전류에 의한 자기장의 세기의 3배이다.

① ㄱ   ② ㄷ   ③ ㄱ, ㄴ
④ ㄴ, ㄷ   ⑤ ㄱ, ㄴ, ㄷ

7 그림은 종이면에 수직인 방향으로 각각 균일한 자기장이 형성된 영역 Ⅰ, Ⅱ를 한 변의 길이가 L인 정사각형 도선이 $+x$ 방향으로 일정한 속력으로 통과하는 모습을 나타낸 것이다. Ⅰ에서 자기장의 세기는 B_0이다. 표는 도선의 p점의 위치 x에 따른 도선에 흐르는 전류의 세기와 방향을 나타낸 것이다.

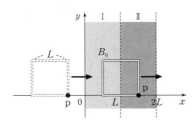

위치	전류의 세기	전류의 방향
$x=0.5L$	I_0	시계 방향
$x=1.5L$	$3I_0$	시계 반대 방향

이에 대한 설명으로 옳은 것만을 〈보기〉에서 있는 대로 고른 것은?

〈보기〉
ㄱ. 영역 Ⅰ에서 자기장의 방향은 종이면에서 수직으로 나오는 방향이다.
ㄴ. 영역 Ⅱ의 자기장의 세기는 $2B_0$이다.
ㄷ. p의 위치가 $x=2.5L$일 때 도선에 흐르는 전류의 세기는 $2I_0$이다.

① ㄱ   ② ㄷ   ③ ㄱ, ㄴ
④ ㄴ, ㄷ   ⑤ ㄱ, ㄴ, ㄷ

8 [21915-0088] ○ △ ✕

그림은 x축상의 $x=0$, $x=4d$인 지점에 전하량이 각각 Q_A, Q_B인 점전하 A, B가 고정되어 있고, $x=d$인 지점에 전하량이 $+q$인 점전하 C를 놓았더니 C에 작용하는 전기력의 크기가 0인 것을 나타낸 것이다.

이에 대한 설명으로 옳은 것만을 〈보기〉에서 있는 대로 고른 것은? [3점]

〈 보기 〉
ㄱ. A, B의 전하의 종류는 같다.
ㄴ. $Q_A : Q_B = 1 : 3$이다.
ㄷ. $x=d$에 C 대신 전하량이 $-q$인 점전하 P를 놓으면 점전하 P가 받는 전기력의 크기는 0이다.

① ㄱ   ② ㄷ   ③ ㄱ, ㄴ
④ ㄱ, ㄷ   ⑤ ㄴ, ㄷ

9 [21915-0089] ○ △ ✕

그림과 같이 서로 8 cm 떨어진 파원 S_1, S_2에서 진동수와 진폭이 각각 같은 수면파를 같은 위상으로 발생시켰다. 수면파의 진동수는 2 Hz이고 속력은 4 cm/s이다. 점 P는 S_1과 S_2로부터 각각 18 cm, 22 cm 떨어져 있다.

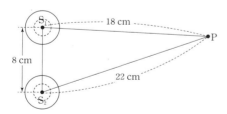

이에 대한 설명으로 옳은 것만을 〈보기〉에서 있는 대로 고른 것은? [3점]

〈 보기 〉
ㄱ. 수면파의 파장은 2 cm이다.
ㄴ. P에서 수면의 높이는 항상 0이다.
ㄷ. $\overline{S_1S_2}$에서 상쇄 간섭이 일어나는 지점의 수는 4개이다.

① ㄱ   ② ㄴ   ③ ㄷ
④ ㄱ, ㄷ   ⑤ ㄴ, ㄷ

10 [21915-0090] ○ △ ✕

그림은 입자 A와 B의 물질파 파장을 운동 에너지에 따라 나타낸 것이다. 운동 에너지가 각각 $2E_0$, E_0인 A, B의 물질파 파장은 λ_0으로 같다.

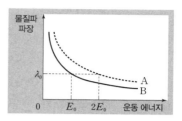

이에 대한 설명으로 옳은 것만을 〈보기〉에서 있는 대로 고른 것은? (단, 입자의 속력은 광속보다 매우 작다.)

〈 보기 〉
ㄱ. 질량은 B가 A의 2배이다.
ㄴ. A의 운동 에너지가 E_0일 때, A의 물질파 파장은 $2\lambda_0$이다.
ㄷ. B의 속력이 작을수록 물질파 파장은 증가한다.

① ㄱ   ② ㄴ   ③ ㄱ, ㄷ
④ ㄴ, ㄷ   ⑤ ㄱ, ㄴ, ㄷ

제한 시간 15분 / 배점 25점

10회 미니모의고사

EBS 수능특강 **Q** 미니모의고사 **물리학 I**

○ 알고 맞힘 /10 △ 헷갈림 /10 ✕ 모르고 틀림 /10

[21915-0091] ○ △ ✕

1 그림 (가)는 B와 실로 연결되어 수평면에 정지해 있던 A에 수평 방향으로 힘 F를 작용하여 오른쪽으로 운동시키는 것을 나타낸 것이다. A, B의 질량은 각각 3 kg, 2 kg이다. 그림 (나)는 A의 속력을 시간에 따라 나타낸 것이다.

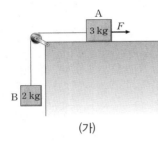
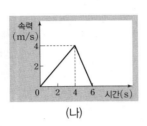

(가)　　　　　　(나)

2초와 5초일 때 F의 크기를 각각 $F_{2초}$, $F_{5초}$라고 하면, $\dfrac{F_{2초}}{F_{5초}}$는? (단, 중력 가속도는 10 m/s^{2}이고, 모든 마찰과 공기 저항 및 실의 질량은 무시한다.)

① $\dfrac{3}{2}$ 　　② 2 　　③ $\dfrac{5}{2}$

④ 3 　　⑤ $\dfrac{7}{2}$

[21915-0092] ○ △ ✕

2 그림 (가)는 수평면 위에서 물체 A가 동일한 직선 위에 정지해 있는 물체 B, C를 향해 운동하는 것을 나타낸 것이다. A, B, C의 질량은 각각 m, $4m$, $2m$이고, A, B, C는 동일한 직선 위에서 운동하며, B에 충돌 후 A는 정지한다. 그림 (나)는 B의 속도를 시간에 따라 나타낸 것이다.

(가)

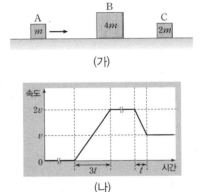

(나)

이에 대한 설명으로 옳은 것만을 〈보기〉에서 있는 대로 고른 것은? (단, 모든 마찰은 무시한다.) [3점]

〈 보기 〉

ㄱ. A가 B로부터 받은 충격량의 크기는 $4mv$이다.

ㄴ. B와 충돌 후 C의 속력은 $2v$이다.

ㄷ. 충돌하는 동안 B에 가한 충격력의 크기는 A가 C의 $\dfrac{2}{3}$배이다.

① ㄱ 　　② ㄴ 　　③ ㄷ

④ ㄱ, ㄴ 　　⑤ ㄴ, ㄷ

3 다음은 역학적 에너지를 알아보기 위한 실험이다.

[실험 과정]

(1) 그림과 같이 지면으로부터 1 m 높이에서 추를 가만히 놓아 낙하시켜 추를 디지털 카메라로 동영상 촬영한다.

(2) 동영상 분석 프로그램을 사용하여 추를 가만히 놓은 순간부터 0.1초 간격으로 추의 높이를 기록한다.

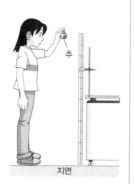
추
지면

[실험 결과]

시간(s)	0	0.1	0.2	0.3	0.4
높이(m)	1.0	0.95	㉠	0.55	0.2

· 추는 가속도의 크기가 10 m/s²인 등가속도 직선 운동을 하였다.

이에 대한 설명으로 옳은 것만을 〈보기〉에서 있는 대로 고른 것은? [3점]

〈 보기 〉

ㄱ. ㉠은 0.8이다.

ㄴ. 추의 운동 에너지는 0.4초일 때가 0.2초일 때의 4배이다.

ㄷ. 추가 낙하하는 동안 역학적 에너지는 일정하다.

① ㄱ ② ㄴ ③ ㄱ, ㄷ

④ ㄴ, ㄷ ⑤ ㄱ, ㄴ, ㄷ

4 그림은 고온부와 저온부의 온도차에 의해 작동되는 기관으로, 등적 과정과 등온 과정을 각각 2회씩 거치면서 1회 순환하는 것을 나타낸 것이다.

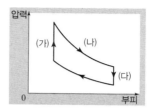
압력
(가) (나)
(다)
0
부피

이에 대한 설명으로 옳은 것만을 〈보기〉에서 있는 대로 고른 것은?

〈 보기 〉

ㄱ. (가)에서 기체가 흡수한 열량은 기체의 내부 에너지 증가량과 같다.

ㄴ. (나)에서는 기체가 열을 흡수하여 외부에 일을 한다.

ㄷ. (다)에서 기체의 온도는 일정하다.

① ㄱ ② ㄷ ③ ㄱ, ㄴ

④ ㄴ, ㄷ ⑤ ㄱ, ㄴ, ㄷ

5 그림은 관찰자 A에 대해 관찰자 B가 탄 우주선이 $0.8c$로 등속도 운동하는 모습을 나타낸 것이다. A가 측정할 때, 검출기 P, Q, R는 광원으로부터 각각 거리 L_P, L_Q, L_R만큼 떨어져 있고, 광원에서 발생한 빛이 검출기 P, Q, R에 동시에 도달한다. P, 광원, Q는 우주선의 운동 방향과 나란한 동일 직선상에 있고, P, Q, R, 광원은 A에 대해 정지해 있다.

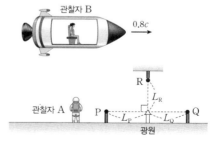
관찰자 B
$0.8c$
R
L_R
관찰자 A
P
L_P
L_Q
Q
광원

B가 측정할 때, 이에 대한 설명으로 옳은 것만을 〈보기〉에서 있는 대로 고른 것은? (단, c는 빛의 속력이다.) [3점]

〈 보기 〉

ㄱ. A의 시간은 B의 시간보다 느리게 간다.

ㄴ. 광원과 P 사이의 거리는 광원과 R 사이의 거리보다 작다.

ㄷ. 광원에서 발생한 빛은 P보다 Q에 먼저 도달한다.

① ㄱ ② ㄷ ③ ㄱ, ㄴ

④ ㄴ, ㄷ ⑤ ㄱ, ㄴ, ㄷ

6 그림 (가)와 같이 두 점전하 A, B가 원점 O로부터 같은 거리 d만큼 떨어져 x축상에 고정되어 있는 상태에서, 전하량이 $-q$인 점전하 C를 $x=2d$에 가만히 놓았더니 정지해 있었다. 그림 (나)는 (가)에서 A와 B의 위치를 바꾸어 x축상에 고정하고, C를 $x=2d$에 가만히 놓았더니, C가 $+x$ 방향으로 움직이는 모습을 나타낸 것이다.

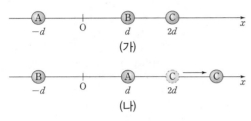

(가)

(나)

이에 대한 설명으로 옳은 것만을 〈보기〉에서 있는 대로 고른 것은? [3점]

〈 보기 〉

ㄱ. A는 양(+)전하이다.

ㄴ. 전하량의 크기는 A가 B의 3배이다.

ㄷ. (가)에서 A를 $-x$ 방향으로 이동시키면 C는 $-x$ 방향으로 움직인다.

① ㄱ   ② ㄷ   ③ ㄱ, ㄴ
④ ㄴ, ㄷ   ⑤ ㄱ, ㄴ, ㄷ

7 그림은 수면파 투영 장치의 두 점파원 S₁, S₂에서 진동수, 진폭이 같은 수면파를 같은 위상으로 발생시켰을 때 어느 순간의 모습을 나타낸 것으로, 실선과 점선은 각각 수면파의 마루와 골을 나타내며 수면파의 파장은 λ이다.

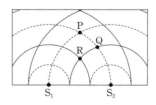

이에 대한 설명으로 옳은 것만을 〈보기〉에서 있는 대로 고른 것은?

〈 보기 〉

ㄱ. P, Q, R 중 수면의 높이가 가장 높은 곳은 P이다.

ㄴ. $|\overline{S_1Q}-\overline{S_2Q}|=\dfrac{\lambda}{2}$이다.

ㄷ. $|\overline{S_1P}-\overline{S_2P}| > |\overline{S_1R}-\overline{S_2R}|$ 이다.

① ㄱ   ② ㄴ   ③ ㄱ, ㄷ
④ ㄴ, ㄷ   ⑤ ㄱ, ㄴ, ㄷ

8 그림 (가)는 $+x$ 방향으로 진행하는 횡파의 어느 순간 매질의 변위를 위치 x에 따라 나타낸 것이다. 그림 (나)는 (가)의 순간부터 매질의 점 A, B 중 한 점의 변위를 시간에 따라 나타낸 것이다.

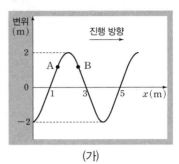

(가)

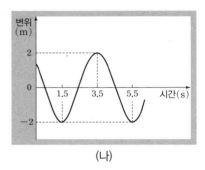

(나)

이에 대한 설명으로 옳은 것만을 〈보기〉에서 있는 대로 고른 것은? [3점]

〈 보기 〉

ㄱ. (나)는 A의 그래프이다.

ㄴ. 주기는 3.5초이다.

ㄷ. 진행 속력은 1 m/s이다.

① ㄱ   ② ㄴ   ③ ㄷ
④ ㄱ, ㄷ   ⑤ ㄴ, ㄷ

9 [21915-0099] ○ △ ✕

그림 (가)와 같이 $x=0$, $x=3d$인 지점의 xy 평면에 수직으로 전류가 흐르는 무한히 긴 직선 도선 A, B를 고정시켰더니 x축 상의 $x=4d$인 지점에서 A와 B에 흐르는 전류에 의한 자기장은 0이다. 그림 (나)와 같이 (가)의 B 대신 $x=3d$인 지점에 무한히 긴 직선 도선 C를 고정시켰더니 x축상의 $x=d$인 지점에서 A와 C에 흐르는 전류에 의한 자기장은 0이다.

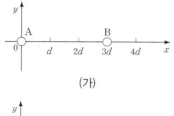

(가)

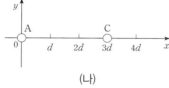

(나)

이에 대한 설명으로 옳은 것만을 〈보기〉에서 있는 대로 고른 것은?

〈 보기 〉

ㄱ. A와 B에 흐르는 전류의 방향은 서로 반대이다.
ㄴ. A와 C에 흐르는 전류의 방향은 서로 같다.
ㄷ. 전류의 세기는 C>A>B 순이다.

① ㄱ   ② ㄷ   ③ ㄱ, ㄴ
④ ㄴ, ㄷ   ⑤ ㄱ, ㄴ, ㄷ

10 [21915-0100] ○ △ ✕

그림 (가)는 광전관에 전압이 일정한 전원 장치와 전류계를 연결하여 빛 A, B를 동시에 비추는 모습을 나타낸 것이다. 그림 (나)는 A와 B의 진동수를 시간에 따라, (다)는 전류계에 흐르는 전류의 세기를 시간에 따라 나타낸 것이다.

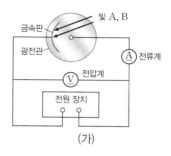

(가)

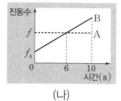 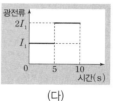

(나)   (다)

이에 대한 설명으로 옳은 것만을 〈보기〉에서 있는 대로 고른 것은?

〈 보기 〉

ㄱ. 금속판의 문턱 진동수는 f보다 크다.
ㄴ. 방출되는 광전자의 최대 운동 에너지는 7초일 때가 3초일 때보다 크다.
ㄷ. B만 금속판에 비추면 7초일 때 광전류의 세기는 I_1보다 크다.

① ㄱ   ② ㄴ   ③ ㄱ, ㄴ
④ ㄱ, ㄷ   ⑤ ㄴ, ㄷ

○ 알고 맞힘 /10 △ 헷갈림 /10 ✕ 모르고 틀림 /10

[21915-0101] ○ △ ✕

1 그림은 직선 도로에서 자동차 A가 기준선 P를, 자동차 B가 기준선 Q를 동시에 통과한 후, A, B가 기준선 R를 각각 30 m/s, 15 m/s의 속력으로 동시에 통과하는 것을 나타낸 것이다. A는 등가속도 운동을, B는 등속도 운동을 하며, P, Q 사이의 거리는 200 m, Q, R 사이의 거리는 300 m이다.

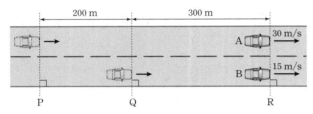

A의 운동에 대한 설명으로 옳은 것만을 〈보기〉에서 있는 대로 고른 것은? (단, 자동차의 크기는 무시한다.) [3점]

〈 보기 〉
ㄱ. 가속도의 크기는 0.5 m/s²이다.
ㄴ. Q를 통과하는 속력은 $20\sqrt{2}$ m/s이다.
ㄷ. P에서 Q까지 걸린 시간이 Q에서 R까지 걸린 시간보다 크다.

① ㄱ   ② ㄷ   ③ ㄱ, ㄴ
④ ㄱ, ㄷ   ⑤ ㄴ, ㄷ

[21915-0102] ○ △ ✕

2 그림 (가)는 물체 A가 정지해 있는 물체 B를 향해 6 m/s의 속력으로 운동하는 것을, (나)는 충돌 후 A, B가 각각 2 m/s, 4 m/s의 속력으로 운동하는 것을 나타낸 것이다. A, B의 질량은 0.2 kg으로 같고, 충돌 전후 A, B는 동일한 직선 위에서 운동한다.

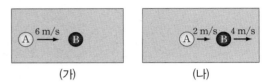

(가)   (나)

이에 대한 설명으로 옳은 것만을 〈보기〉에서 있는 대로 고른 것은? (단, 모든 마찰과 공기 저항은 무시한다.)

〈 보기 〉
ㄱ. 충돌 전 A의 운동량의 크기는 1.2 kg·m/s이다.
ㄴ. 충돌하는 동안 받은 충격량의 크기는 A, B가 같다.
ㄷ. 감소한 A의 운동 에너지와 증가한 B의 운동 에너지는 같다.

① ㄱ   ② ㄷ   ③ ㄱ, ㄴ
④ ㄴ, ㄷ   ⑤ ㄱ, ㄴ, ㄷ

[21915-0103] ○ △ ✕

3 그림과 같이 수평면 위에서 한쪽 끝이 고정되어 있는 용수철 상수가 k인 용수철에 물체를 연결하고 용수철을 원래 길이로부터 $10L$만큼 늘여 물체를 $x=10L$인 위치에서 가만히 놓았더니 물체가 x축과 나란하게 운동하였다. 표는 물체를 놓는 순간부터 물체의 속력이 0이 될 때의 물체의 위치를 순서대로 나타낸 것이다. 수평면에서 물체에 작용하는 마찰력의 크기는 f로 일정하다.

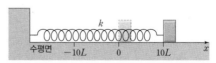

놓는 순간 물체의 위치	처음으로 물체의 속력이 0이 되는 물체의 위치	두 번째로 물체의 속력이 0이 되는 물체의 위치
$x=10L$	ⓐ	$x=2L$

f는? (단, 용수철의 질량, 물체의 크기, 용수철과 수평면 사이의 마찰과 공기 저항은 무시한다.) [3점]

① kL ② $2kL$ ③ $3kL$
④ $4kL$ ⑤ $5kL$

[21915-0104] ○ △ ✕

4 그림 (가)와 같이 연직으로 세워진 실린더 안의 동일한 이상 기체 A와 B가 열전달이 잘되는 고정된 금속판에 의해 분리되어 열평형 상태에 있다. A와 B의 압력과 부피는 각각 P, V로 같다. 위쪽 피스톤에는 질량이 일정한 추가 놓여 있다. 그림 (나)는 (가)에서 아래쪽 피스톤을 위로 천천히 올려 B의 부피가 감소한 상태로 A와 B가 열평형을 이룬 모습을 나타낸 것이다.

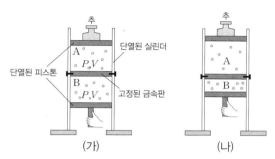

(가) (나)

이에 대한 설명으로 옳은 것만을 〈보기〉에서 있는 대로 고른 것은? (단, 피스톤의 마찰, 피스톤의 질량, 금속판이 흡수한 열량은 무시한다.) [3점]

〈 보기 〉

ㄱ. A의 온도는 (나)에서가 (가)에서보다 높다.
ㄴ. (나)에서 기체의 압력은 A와 B가 같다.
ㄷ. (가) → (나) 과정에서 B가 받은 일은 A와 B의 내부 에너지 증가량의 합과 같다.

① ㄱ   ② ㄷ   ③ ㄱ, ㄴ
④ ㄴ, ㄷ   ⑤ ㄱ, ㄴ, ㄷ

[21915-0105] ○ △ ✕

5 다음 (가)와 (나)는 원자핵 X를 생성하며 에너지를 방출하는 두 가지 핵반응식이다. 표는 (가), (나)와 관련된 원자핵의 질량을 나타낸 것이다.

(가) $^2_1\text{H} + ^2_1\text{H} \longrightarrow \boxed{\text{X}} + 24\,\text{MeV}$

(나) $^6_3\text{Li} + \boxed{\text{Y}} \longrightarrow 2\boxed{\text{X}} + 22.4\,\text{MeV}$

원자핵	X	^6_3Li	Y
질량	M_1	M_2	M_3

이에 대한 설명으로 옳은 것만을 〈보기〉에서 있는 대로 고른 것은?

〈 보기 〉

ㄱ. X는 질량수가 4이다.
ㄴ. (나)에서 핵반응 전후 전하량은 보존된다.
ㄷ. $M_3 > M_2 - M_1$이다.

① ㄱ   ② ㄴ   ③ ㄷ
④ ㄱ, ㄷ   ⑤ ㄱ, ㄴ, ㄷ

[21915-0106] ○ △ ✕

6 그림 (가), (나)는 진동수가 동일한 단색광이 각각 매질 A와 매질 B의 경계면에서 각각 입사각 i_1, i_2로 입사한 후 각각 굴절각 r_1, r_2로 굴절하여 매질 C로 진행하는 것을 나타낸 것이다. (가)의 점 P에서 단색광이 전반사하였고, (나)의 점 Q에서 단색광은 굴절하여 매질 C로 진행하였다. Q에서 단색광의 반사각은 θ이다.

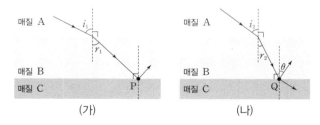

(가) (나)

이에 대한 설명으로 옳은 것만을 〈보기〉에서 있는 대로 고른 것은?

〈 보기 〉

ㄱ. 굴절률은 매질 C가 가장 크다.
ㄴ. $i_1 > i_2$이다.
ㄷ. i_2가 증가하면 θ는 감소한다.

① ㄱ   ② ㄴ   ③ ㄷ
④ ㄱ, ㄷ   ⑤ ㄴ, ㄷ

[21915-0107] ○ △ ✕

7 그림과 같이 동일한 p–n 접합 다이오드를 전원에 연결하고 저항의 양단에 걸리는 전압을 측정한다. 표는 스위치를 각각 a, b에 연결했을 때 저항의 양단에 걸리는 전압을 나타낸 것이다. X, Y는 p형 반도체와 n형 반도체 중 하나이다.

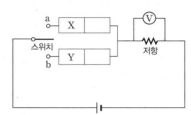

스위치	전압
a에 연결	0
b에 연결	1.5 V

이에 대한 설명으로 옳은 것만을 〈보기〉에서 있는 대로 고른 것은? [3점]

〈 보기 〉
ㄱ. 스위치를 a에 연결했을 때, a에 연결된 다이오드에는 역방향 전압이 걸린다.
ㄴ. X는 n형 반도체이다.
ㄷ. 스위치를 b에 연결했을 때, Y에서는 주로 양공이 전류를 흐르게 한다.

① ㄴ   ② ㄷ   ③ ㄱ, ㄴ
④ ㄱ, ㄷ   ⑤ ㄱ, ㄴ, ㄷ

[21915-0108] ○ △ ✕

8 그림과 같이 자기장의 세기가 각각 B_0, $2B_0$이고 종이면에 수직인 균일한 자기장 영역 I, II에 사각형 코일이 일정한 속력 v로 통과하고 있다. B와 D에서 코일에 흐르는 유도 전류의 세기는 같다. 영역 I에서 ×는 종이면에 수직으로 들어가는 자기장의 방향을 의미한다.

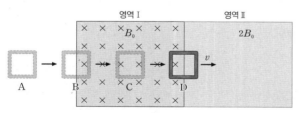

이에 대한 설명으로 옳은 것만을 〈보기〉에서 있는 대로 고른 것은? [3점]

〈 보기 〉
ㄱ. C에서는 코일에 전류가 흐르지 않는다.
ㄴ. 영역 I과 II의 자기장의 방향은 서로 반대이다.
ㄷ. D에서는 코일에 시계 반대 방향으로 유도 전류가 흐른다.

① ㄱ   ② ㄴ   ③ ㄱ, ㄷ
④ ㄴ, ㄷ   ⑤ ㄱ, ㄴ, ㄷ

[21915-0109] ○ △ ✕

9 그림과 같이 점전하 A, B, C가 각각 $x=-d$, 0, d에 고정되어 있다. A, B, C의 전하량은 각각 $+q$, $-q$, $+2q$이다.

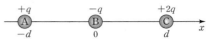

이에 대한 설명으로 옳은 것만을 〈보기〉에서 있는 대로 고른 것은?

〈 보기 〉
ㄱ. B에 작용하는 전기력의 방향은 $+x$ 방향이다.
ㄴ. $x=0$에서 A와 C에 의한 전기장의 방향은 $-x$ 방향이다.
ㄷ. A에 작용하는 전기력의 크기는 C에 작용하는 전기력의 크기보다 크다.

① ㄱ   ② ㄴ   ③ ㄷ
④ ㄱ, ㄴ   ⑤ ㄱ, ㄴ, ㄷ

[21915-0110] ○ △ ✕

10 그림 (가), (나)는 투과 전자 현미경(TEM)과 주사 전자 현미경(SEM)의 구조를 순서 없이 나타낸 것이고, (다)는 (가)와 (나) 중 하나를 사용하여 관찰한 금 나노 결정의 영상으로, 영상은 평면으로 관찰된다.

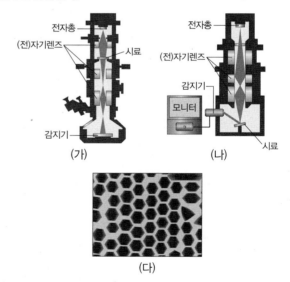

이에 대한 설명으로 옳은 것만을 〈보기〉에서 있는 대로 고른 것은?

〈 보기 〉
ㄱ. (다)는 (가)를 사용하여 관찰한 영상이다.
ㄴ. (나)는 전자선을 시료에 쏘여 시료에서 튀어나오는 전자를 측정한다.
ㄷ. 전자 현미경은 전자의 드브로이 파장을 이용한 것이다.

① ㄱ   ② ㄴ   ③ ㄱ, ㄷ
④ ㄴ, ㄷ   ⑤ ㄱ, ㄴ, ㄷ

12회 미니모의고사

○ 알고 맞힘 /10 △ 헷갈림 /10 ✕ 모르고 틀림 /10

[21915-0111] ○ △ ✕

1 그림 (가)와 같이 중앙선으로부터 20 m 떨어진 지점에서 중앙선에 수직 방향으로 공을 찼더니, 공이 등가속도 직선 운동을 하다가 정지하였다. 그림 (나)는 공을 찬 순간부터 공이 정지할 때까지, 공의 속력을 이동 거리에 따라 나타낸 것이다.

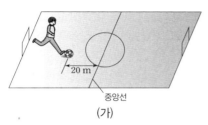

(가)

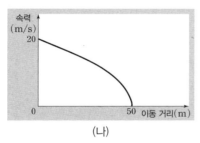

(나)

공의 운동에 대한 설명으로 옳은 것만을 〈보기〉에서 있는 대로 고른 것은? (단, 공의 크기는 무시한다.)

〈 보기 〉
ㄱ. 가속도의 크기는 5 m/s²이다.
ㄴ. 정지할 때까지 걸린 시간은 5초이다.
ㄷ. 중앙선을 통과하는 속력은 $4\sqrt{15}$ m/s이다.

① ㄱ   ② ㄷ   ③ ㄱ, ㄴ

④ ㄱ, ㄷ   ⑤ ㄴ, ㄷ

[21915-0112] ○ △ ✕

2 그림은 수평면에서 속력 $3v$로 운동하는 물체 A와 정지해 있는 물체 B를 나타낸 것으로, A의 질량은 $2m$이다. A는 수평면의 점 p, q를 지나 경사면을 올라갔다가 내려와 B와 충돌 후 정지하였고, A와 B의 충돌 과정에서 A가 받은 충격량의 크기는 $2mv$이다. p와 q 사이에서 A에는 운동 방향과 반대 방향으로 크기가 F인 일정한 힘이 작용하고, A가 p에서 q까지 운동하는 데 걸린 시간은 T_1이며, q에서 p까지 운동하는 데 걸린 시간은 T_2이다.

T_2-T_1은? (단, A, B의 크기, 공기 저항, 모든 마찰은 무시한다.) [3점]

① $\dfrac{2mv}{F}$ ② $\dfrac{4mv}{F}$ ③ $\dfrac{2mv}{F}(\sqrt{5}-2)$

④ $\dfrac{4mv}{F}(\sqrt{5}-2)$ ⑤ $\dfrac{2mv}{F}(3-\sqrt{5})$

[21915-0113] ○ △ ✕

3 그림은 고체 A, B, C의 에너지띠 구조를 나타낸 것이다. 색칠한 부분은 전자가 모두 채워져 있다. A, B, C는 각각 도체, 반도체, 절연체 중 하나이다.

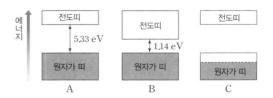

이에 대한 설명으로 옳은 것만을 〈보기〉에서 있는 대로 고른 것은?

〈 보기 〉
ㄱ. 전기 전도성은 B가 A보다 크다.
ㄴ. C는 절연체이다.
ㄷ. A의 원자가 띠에 있는 전자는 광자 1개의 에너지가 4 eV인 빛을 흡수할 수 있다.

① ㄱ   ② ㄴ   ③ ㄱ, ㄴ

④ ㄱ, ㄷ   ⑤ ㄴ, ㄷ

[21915-0114] ○ △ ✕

4 그림 (가)와 (나)는 단열된 용기에 들어 있는 이상 기체 A, B에 각각 같은 열량 Q를 공급하였더니, A와 B가 서서히 팽창하여 피스톤이 각각 높이 h만큼 올라갔을 때 피스톤과 추가 정지해 있는 모습을 나타낸 것이다. (가)와 (나)에서 피스톤의 단면적은 각각 $2S$, S이다.

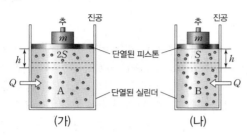
(가)   (나)

이에 대한 설명으로 옳은 것만을 〈보기〉에서 있는 대로 고른 것은? (단, 중력 가속도는 g이고, 피스톤의 질량과 피스톤의 마찰은 무시하며, 실린더 외부는 진공이다.) [3점]

〈 보기 〉
ㄱ. A와 B의 압력은 같다.
ㄴ. 피스톤이 h만큼 이동하는 동안 A가 외부에 한 일과 B가 외부에 한 일은 같다.
ㄷ. $Q=mgh$이다.

① ㄱ   ② ㄴ   ③ ㄱ, ㄷ
④ ㄴ, ㄷ   ⑤ ㄱ, ㄴ, ㄷ

[21915-0115] ○ △ ✕

5 그림 (가)는 물체 B와 연결되어 수평면 위에 정지해 있던 물체 A에 수평 방향으로 힘 F를 작용하여 당기는 것을 나타낸 것이다. A, B의 질량은 각각 4 kg, 1 kg이다. 그림 (나)는 F의 크기를 A의 이동 거리에 따라 나타낸 것이다.

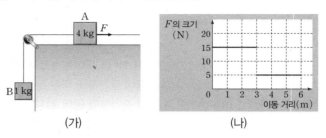
(가)   (나)

이에 대한 설명으로 옳은 것만을 〈보기〉에서 있는 대로 고른 것은? (단, 중력 가속도는 10 m/s^2이고, 모든 마찰과 공기 저항 및 실의 질량은 무시한다.)

〈 보기 〉
ㄱ. 0 m에서 3 m까지 F가 A를 당기는 힘이 한 일은 45 J이다.
ㄴ. 0 m에서 3 m까지 A의 운동 에너지는 12 J 증가한다.
ㄷ. 3 m에서 6 m까지 B의 역학적 에너지는 감소한다.

① ㄱ   ② ㄷ   ③ ㄱ, ㄴ
④ ㄴ, ㄷ   ⑤ ㄱ, ㄴ, ㄷ

[21915-0116] ○ △ ✕

6 그림은 관측자 A가 보았을 때, 관측자 B가 타고 있는 우주선이 광속에 가까운 속력으로 등속도 운동을 하는 것을 나타낸 것이다. 광원과 빛 검출기 P, Q는 A에 대해 정지해 있다. A가 측정했을 때, P, Q 사이의 거리는 L이고 광원에서 방출된 빛은 P, Q에 동시에 도달한다.

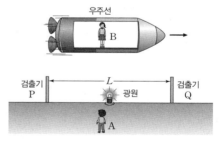

B가 측정했을 때, 이에 대한 설명으로 옳은 것만을 〈보기〉에서 있는 대로 고른 것은?

〈 보기 〉
ㄱ. 광원에서 방출된 빛은 Q에 먼저 도달한다.
ㄴ. P, Q 사이의 거리는 L보다 짧다.
ㄷ. A의 시간이 자신의 시간보다 빠르게 간다.

① ㄱ   ② ㄷ   ③ ㄱ, ㄴ
④ ㄴ, ㄷ   ⑤ ㄱ, ㄴ, ㄷ

7 [21915-0117] ○ △ ✕

그림은 xy 평면에서 $+x$ 방향으로 일정한 속력으로 운동하는 금속 고리 P와 균일한 자기장 영역 I, II, III, IV를 나타낸 것이고, 표는 이 순간으로부터 P의 이동 거리에 따라 P에 흐르는 유도 전류의 세기와 방향을 나타낸 것이다. I, III에서 자기장의 세기는 각각 B, $2B$이며, 자기장의 방향은 I에서는 xy 평면에 수직으로 들어가는 방향이고, II와 III에서는 xy 평면에서 수직으로 나오는 방향이다.

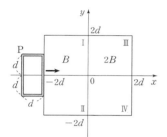

이동 거리	P에 흐르는 유도 전류	
	세기	방향
$0.5d$	I_0	시계 방향
$2.5d$	㉠	시계 반대 방향
$4.5d$	0	–

이에 대한 설명으로 옳은 것만을 〈보기〉에서 있는 대로 고른 것은? (단, P는 회전하거나 변형되지 않는다.) [3점]

〈 보기 〉
ㄱ. 자기장의 방향은 II에서와 IV에서가 서로 같다.
ㄴ. 자기장의 세기는 I에서가 II에서보다 작다.
ㄷ. ㉠은 I_0이다.

① ㄱ ② ㄴ ③ ㄷ
④ ㄱ, ㄴ ⑤ ㄴ, ㄷ

8 [21915-0118] ○ △ ✕

그림은 일정한 세기의 전류가 흐르는 가늘고 무한히 긴 직선 도선 A, C가 y축에 나란하게 xy 평면에 고정되어 있고, 일정한 세기의 전류가 일정한 방향으로 흐르고 있는 원형 도선 B가 xy 평면에 고정되어 있는 것을 나타낸 것이다. A, C로부터 원형 도선의 중심점 p까지의 거리는 같다. 표는 A, C에 흐르는 전류의 방향과 p에서 A, B, C의 전류에 의한 자기장을 나타낸 것이다. A, C에 흐르는 전류의 세기는 같다.

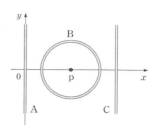

A에 흐르는 전류의 방향	C에 흐르는 전류의 방향	p에서의 자기장	
		세기	방향
$+y$	$+y$	$3B_0$	⊙
$+y$	$-y$	㉠	㉡
$-y$	$+y$	$8B_0$	㉢

(⊙ : xy 평면에서 수직으로 나오는 방향)

이에 대한 설명으로 옳은 것만을 〈보기〉에서 있는 대로 고른 것은? [3점]

〈 보기 〉
ㄱ. B에 흐르는 전류의 방향은 시계 반대 방향이다.
ㄴ. ㉠은 $4B_0$이다.
ㄷ. ㉡과 ㉢은 같다.

① ㄱ ② ㄷ ③ ㄱ, ㄴ
④ ㄴ, ㄷ ⑤ ㄱ, ㄴ, ㄷ

[21915-0119] ○ △ ✕

9 그림은 두 점 S_1, S_2에서 각각 같은 진동수와 진폭과 위상으로 발생시킨 두 수면파의 어느 순간의 모습을 평면상에 모식적으로 나타낸 것이다. S_1과 S_2 사이의 거리는 0.2 m이고, 두 수면파의 진행 속력은 0.1 m/s로 같다. 실선과 점선은 각각 수면파의 마루와 골을 나타낸다. 점 P, Q는 평면상에 고정된 두 지점이다.

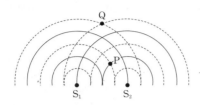

진동수와 진폭은 변화시키지 않고 S_1의 위상이 S_2와 반대가 되도록 수면파를 발생시켰을 때 P, Q에서 수면파의 변위를 시간에 따라 개략적으로 나타낸 것으로 가장 적절한 것은? [3점]

P   Q

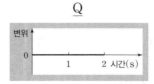
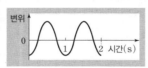
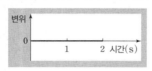
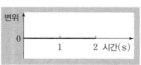
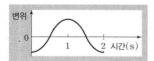

[21915-0120] ○ △ ✕

10 그림 (가)는 광전관의 금속판에 단색광 a, b, c를 각각 비추는 모습을 나타낸 것이다. 그림 (나)는 a, b, c의 세기와 진동수를 각각 나타낸 것이다. 금속판의 문턱 진동수는 f_0이다.

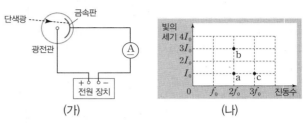

(가)   (나)

이에 대한 설명으로 옳은 것만을 〈보기〉에서 있는 대로 고른 것은?

〈 보기 〉
ㄱ. 광자 1개의 에너지는 b가 a의 3배이다.
ㄴ. 금속판에서 방출되는 광전자의 최대 운동 에너지는 a를 비출 때가 c를 비출 때보다 크다.
ㄷ. 전류계에 흐르는 전류의 세기는 b를 비출 때가 a를 비출 때보다 크다.

① ㄱ   ② ㄴ   ③ ㄷ
④ ㄱ, ㄴ   ⑤ ㄴ, ㄷ

13회 미니모의고사

○ 알고 맞힘 /10   △ 헷갈림 /10   ✕ 모르고 틀림 /10

[21915-0121] ○ △ ✕

1 그림과 같이 원숭이 A, B가 지면으로부터 각각 4 m, 3 m 높이에서 A는 1 m/s의 속력으로 사과를 연직 아래로 던졌고, B는 A가 사과를 던지는 순간 사과를 가만히 놓았다. 두 사과는 같은 직선을 따라 운동한다.

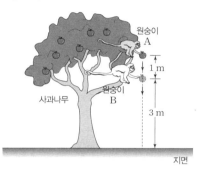

이에 대한 설명으로 옳은 것만을 〈보기〉에서 있는 대로 고른 것은? (단, 중력 가속도는 10 m/s^2이고, 사과의 크기와 공기 저항은 무시한다.) [3점]

〈 보기 〉

ㄱ. A가 던진 사과가 지면에 도달하는 시간은 $\frac{2\sqrt{5}}{5}$초이다.

ㄴ. B가 가만히 놓은 사과는 지면에 도달할 때까지 등가속도 직선 운동을 한다.

ㄷ. B가 가만히 놓은 사과가 지면에 도달하는 동안 두 사과의 거리 차는 점점 감소한다.

① ㄱ   ② ㄴ   ③ ㄷ
④ ㄱ, ㄷ   ⑤ ㄴ, ㄷ

[21915-0122] ○ △ ✕

2 그림 (가)는 물체 A를 수평면으로부터 높이 h인 곳에서 가만히 놓아 수평면에 정지해 있는 물체 B와 정면으로 충돌시키는 것을, (나)는 이 과정에서 A, B의 운동량을 시간에 따라 나타낸 것이다. A와 B의 충돌 시간은 T_0이다.

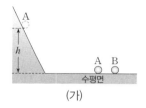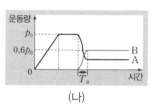

(가)   (나)

이에 대한 설명으로 옳은 것만을 〈보기〉에서 있는 대로 고른 것은? (단, 모든 마찰과 공기 저항은 무시하며, A, B는 동일 직선상에서 운동한다.) [3점]

〈 보기 〉

ㄱ. p_0은 $\sqrt{h}$에 비례한다.

ㄴ. 충돌 전후 A의 운동량 변화량의 크기는 $0.6p_0$이다.

ㄷ. 충돌 과정에서 B가 A로부터 받은 평균 힘의 크기는 $\frac{0.6p_0}{T_0}$이다.

① ㄱ   ② ㄷ   ③ ㄱ, ㄴ
④ ㄴ, ㄷ   ⑤ ㄱ, ㄴ, ㄷ

3 그림은 물체 A, B를 실로 연결한 후 A를 가만히 놓았을 때 수평면 위의 A가 s만큼 이동한 순간의 모습을 나타낸 것이다. A가 s만큼 이동하는 동안 B의 중력 퍼텐셜 에너지 감소량은 A의 운동 에너지 증가량의 4배이다.

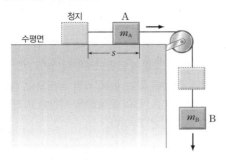

이에 대한 설명으로 옳은 것만을 〈보기〉에서 있는 대로 고른 것은? (단, 중력 가속도는 g이고, 실의 질량 및 모든 마찰과 공기 저항은 무시한다.)

〈 보기 〉

ㄱ. 물체의 질량은 B가 A의 3배이다.

ㄴ. A의 가속도의 크기는 $\frac{2}{3}g$이다.

ㄷ. B의 역학적 에너지 감소량과 A의 운동 에너지 증가량은 같다.

① ㄱ   　　② ㄴ   　　③ ㄱ, ㄴ

④ ㄱ, ㄷ   　　⑤ ㄴ, ㄷ

4 그림은 정지해 있는 철수에 대해 영희가 탄 우주선이 일정한 속도 $0.9c$로 운동하는 모습을 나타낸 것이다. 철수가 측정할 때, 광원 P에서 점 A까지의 거리와 P에서 점 B까지의 거리는 L로 같다.

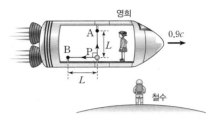

영희가 측정할 때에 대한 설명으로 옳은 것만을 〈보기〉에서 있는 대로 고른 것은? (단, c는 빛의 속력이고, P와 B를 잇는 직선은 우주선의 운동 방향과 나란하다.) [3점]

〈 보기 〉

ㄱ. 철수의 시간은 자신의 시간보다 느리게 간다.

ㄴ. P에서 출발한 빛이 A에 도달하는 데 걸린 시간은 $\frac{L}{c}$이다.

ㄷ. P에서 출발한 빛이 B에 도달할 때까지 빛이 이동한 거리는 L보다 짧다.

① ㄱ   　　② ㄷ   　　③ ㄱ, ㄴ

④ ㄴ, ㄷ   　　⑤ ㄱ, ㄴ, ㄷ

5 그림 (가)는 일직선상에서 동일한 도체구 A, B, C를 각각 대전시킨 후 같은 간격만큼 떨어뜨려 고정시킨 것을, (나)는 (가)에서 C를 A에 접촉시켜 A, C의 전하량이 같아지도록 한 후 다시 원래 지점에 고정시킨 것을 나타낸 것이다. (가)에서 A, C는 같은 종류의 전하로 대전되어 있고, C에 작용하는 전기력은 0이며, (나)에서 C에 작용하는 전기력의 방향은 오른쪽이다.

이에 대한 설명으로 옳은 것만을 〈보기〉에서 있는 대로 고른 것은? (단, 도체구의 크기는 무시한다.) [3점]

〈 보기 〉

ㄱ. (가)에서 전하량의 크기는 B가 C보다 크다.

ㄴ. C의 전하량의 크기는 (가)에서가 (나)에서보다 크다.

ㄷ. B가 C에 작용하는 전기력의 방향은 (가)와 (나)에서 같다.

① ㄱ   　　② ㄴ   　　③ ㄱ, ㄷ

④ ㄴ, ㄷ   　　⑤ ㄱ, ㄴ, ㄷ

[21915-0126] ○ △ ✕

6 그림 (가), (나)는 동일한 솔레노이드 내부에 자기화되지 않은 강자성 막대와 상자성 막대를 각각 넣고, 스위치 S를 전압이 V로 일정한 전원에 연결한 것을 나타낸 것이다. O는 솔레노이드의 중심 지점이다.

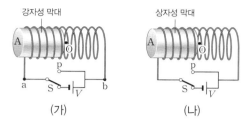
(가)　　　　(나)

이에 대한 설명으로 옳은 것만을 〈보기〉에서 있는 대로 고른 것은?

─〈 보기 〉─

ㄱ. (가)와 (나)에서 A쪽은 모두 S극으로 자기화된다.
ㄴ. (가)에서 스위치를 p에 연결하고 강자성 막대를 왼쪽으로 빼내는 경우, a → p → b 방향으로 전류가 흐른다.
ㄷ. (가)와 (나)에서 스위치를 p에 연결하면 O에서 자기장의 세기는 (가)에서가 (나)에서보다 크다.

① ㄱ　　　　② ㄴ　　　　③ ㄱ, ㄴ
④ ㄱ, ㄷ　　　⑤ ㄴ, ㄷ

[21915-0127] ○ △ ✕

7 그림은 대전되지 않은 금속구 A와 B를 고정시킨 절연된 받침대 위에 놓고 빛을 비추는 것을 나타낸 것으로, 문턱 진동수는 A가 B보다 작다. 표는 비추는 빛의 진동수에 따라서 A에 작용하는 전기력의 방향을 나타낸 것이다.

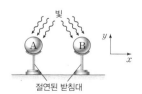

진동수	A에 작용하는 전기력의 방향
f_1	$+x$ 방향
f_2	$-x$ 방향

이에 대한 설명으로 옳은 것만을 〈보기〉에서 있는 대로 고른 것은?

─〈 보기 〉─

ㄱ. A의 문턱 진동수는 f_1보다 작다.
ㄴ. f_2는 f_1보다 크다.
ㄷ. A와 B에 비추는 진동수 f_1인 빛의 세기를 증가시키면 A에 작용하는 전기력의 방향은 $-x$ 방향이 된다.

① ㄱ　　　　② ㄷ　　　　③ ㄱ, ㄴ
④ ㄱ, ㄷ　　　⑤ ㄴ, ㄷ

[21915-0128] ○ △ ✕

8 다음은 전자기 유도 현상을 알아보기 위한 실험이다.

[실험 과정]

1. 그림과 같이 저항, p−n 접합 발광 다이오드(LED), 스위치 S가 직렬로 연결된 코일을 수평면에 놓여 있는 미끄러운 플라스틱 레일의 경사면에 고정시킨다.

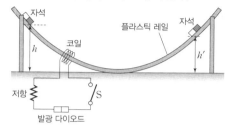

2. S를 열거나 닫은 상태에서 높이 h에서 자석을 가만히 놓은 다음, 코일을 통과한 자석이 레일 위에서 최대로 올라가는 높이 h'을 측정한다.
3. 발광 다이오드의 두 전극을 회로에 반대로 연결한 후, 과정 2를 수행한다.

[실험 결과]

과정	스위치 S의 상태	h'
2	열림	h
	닫힘	$0.8h$
3	열림	h
	닫힘	$0.6h$

S가 닫혀 있을 때, 이에 대한 설명으로 옳은 것만을 〈보기〉에서 있는 대로 고른 것은? [3점]

─〈 보기 〉─

ㄱ. 시간에 따른 자기 선속의 변화가 클수록 저항에 흐르는 전류의 세기가 크다.
ㄴ. 자석이 코일을 통과하기 전과 후 저항에는 모두 전류가 흐른다.
ㄷ. 과정 2에서 자석이 코일에 접근할 때 발광 다이오드에는 순방향의 전압이 걸린다.

① ㄱ　　　　② ㄴ　　　　③ ㄱ, ㄷ
④ ㄴ, ㄷ　　　⑤ ㄱ, ㄴ, ㄷ

[21915-0129] ○ △ ✕

9 그림 (가)는 단열된 상자가 단열된 피스톤에 의해 부피가 $2V$ 와 V인 두 개의 방 A, B로 나뉘어져 있는 것을 나타낸 것이고, (나)는 (가) 상태에서 B에 열을 공급하여 A와 B의 부피가 같아진 것이다. A와 B에는 같은 종류의 이상 기체가 같은 수로 들어 있다.

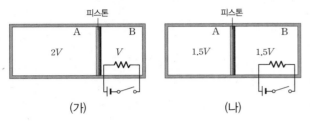

(가)   (나)

이에 대한 설명으로 옳은 것만을 〈보기〉에서 있는 대로 고른 것은? (단, 모든 마찰은 무시하고, (가), (나)에서 피스톤은 정지 상태를 유지한다.)

〈 보기 〉
ㄱ. (가)에서 기체의 온도는 A에서가 B에서보다 높다.
ㄴ. (나)에서 기체의 내부 에너지는 A에서가 B에서보다 작다.
ㄷ. (가)에서 (나)로 변화하는 동안 B의 기체에 공급해 준 열은 B의 기체의 내부 에너지 변화량과 같다.

① ㄱ   ② ㄴ   ③ ㄱ, ㄴ
④ ㄱ, ㄷ   ⑤ ㄴ, ㄷ

[21915-0130] ○ △ ✕

10 그림 (가)는 용수철을 흔들 때 발생한 종파가 $+x$ 방향으로 진행하는 것을, (나)는 어느 순간 매질의 변위 y를 평형 위치 x에 따라 나타낸 것이다. 매질이 평형 위치에 있으면 $y=0$, 매질이 평형 위치보다 $+x$ 방향에 있으면 $y>0$, 매질이 평형 위치보다 $-x$ 방향에 있으면 $y<0$이다.

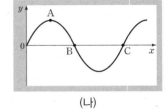

(가)   (나)

그림 (나)에 대한 설명으로 옳은 것만을 〈보기〉에서 있는 대로 고른 것은?

〈 보기 〉
ㄱ. A는 밀한 지점이다.
ㄴ. B에서 매질은 $+x$ 방향으로 운동한다.
ㄷ. B와 C에서 매질의 운동 방향은 서로 반대이다.

① ㄱ   ② ㄴ   ③ ㄷ
④ ㄱ, ㄴ   ⑤ ㄴ, ㄷ

14회 미니모의고사

[21915-0131] ○ △ ✕

1 그림 (가)는 직선 운동하는 물체 A의 위치를 시간에 따라 나타낸 것이고, (나)는 0초일 때 속력이 1 m/s인 직선 운동하는 물체 B의 가속도를 시간에 따라 나타낸 것이다. 0초부터 2초까지 B의 운동 방향과 가속도의 방향은 같다.

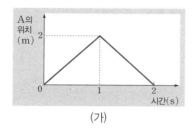

(가)

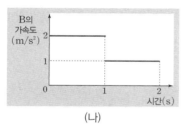

(나)

이에 대한 설명으로 옳은 것만을 〈보기〉에서 있는 대로 고른 것은?

─〈 보기 〉─
ㄱ. 1초일 때 A의 운동 방향이 바뀐다.
ㄴ. 0.5초일 때 속력은 A와 B가 같다.
ㄷ. 0초부터 2초까지 A의 평균 속력과 2초일 때 B의 속력은 같다.

① ㄱ　　　② ㄷ　　　③ ㄱ, ㄴ
④ ㄴ, ㄷ　　⑤ ㄱ, ㄴ, ㄷ

[21915-0132] ○ △ ✕

2 그림과 같이 물체 A, B, C를 실로 연결하여 80 N의 힘으로 빗면과 나란하게 A를 잡아당길 때 A, B, C는 일정한 속력으로 운동한다. A를 4 m 이동시킨 순간 운동 에너지는 A가 B의 2배이다.

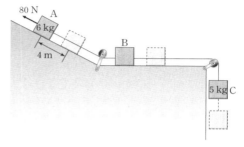

이에 대한 설명으로 옳은 것만을 〈보기〉에서 있는 대로 고른 것은? (단, 중력 가속도는 10 m/s²이고, 실의 질량, A, B, C의 크기, 모든 마찰과 공기 저항은 무시한다.) [3점]

─〈 보기 〉─
ㄱ. B의 질량은 3 kg이다.
ㄴ. A가 4 m 이동하는 동안 A의 중력 퍼텐셜 에너지 증가량은 120 J이다.
ㄷ. 이 순간 A와 B 사이의 실이 끊어지면 A의 가속도 크기는 B의 가속도 크기의 $\frac{4}{3}$배이다.

① ㄱ　　　② ㄴ　　　③ ㄱ, ㄷ
④ ㄴ, ㄷ　　⑤ ㄱ, ㄴ, ㄷ

3 그림 (가)는 마찰이 없는 수평면의 동일 직선상에서 물체 A, B가 서로 반대 방향으로 운동량의 크기가 각각 p, $2p$인 등속 직선 운동을 하고 있는 모습을, (나)는 (가)에서 B가 벽과 충돌하여 정반대 방향으로 튕겨 나와 A와 B 사이의 거리가 일정하게 유지되며 운동하는 모습을 나타낸 것이다. A, B의 질량은 각각 $2m$, m이다.

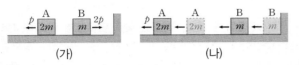

(가)   (나)

이에 대한 설명으로 옳은 것만을 〈보기〉에서 있는 대로 고른 것은? (단, A, B의 크기와 공기 저항은 무시한다.)

〈 보기 〉
ㄱ. (가)에서 물체의 속력은 B가 A의 4배이다.
ㄴ. (나)에서 B가 벽과 충돌한 후, B의 운동량의 크기는 p이다.
ㄷ. (나)에서 B가 벽과 충돌하는 동안 B가 벽으로부터 받은 충격량의 크기는 $3p$이다.

① ㄱ   ② ㄷ   ③ ㄱ, ㄴ
④ ㄴ, ㄷ   ⑤ ㄱ, ㄴ, ㄷ

4 그림과 같이 지표면에 정지해 있는 철수가 측정할 때, 같은 높이에서 뮤온 A, B가 생성되어 각각 연직 방향으로 빛의 속력에 가까운 일정한 속도 v_A, v_B로 지표면을 향해 움직인다. 정지 상태의 A, B가 생성된 순간부터 소멸하는 순간까지 걸리는 시간은 t_0

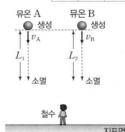

으로 같고, 철수가 측정할 때 A, B는 생성된 순간부터 각각 L_1, L_2만큼 이동하여 소멸하였다. $L_1 < L_2$이다.
이에 대한 설명으로 옳은 것만을 〈보기〉에서 있는 대로 고른 것은?
[3점]

〈 보기 〉
ㄱ. $L_1 = v_A t_0$이다.
ㄴ. $v_A < v_B$이다.
ㄷ. B와 함께 이동하는 좌표계에서 측정할 때, B가 생성되어 소멸하는 동안 철수가 이동한 거리는 $v_B t_0$이다.

① ㄱ   ② ㄴ   ③ ㄱ, ㄷ
④ ㄴ, ㄷ   ⑤ ㄱ, ㄴ, ㄷ

5 그림은 고열원으로부터 Q_1의 열을 공급받아 W의 일을 하고 저열원으로 Q_2의 열을 방출하는 열기관을 나타낸 것이다. 표는 열기관 A, B의 Q_1, W, Q_2를 나타낸 것이다.

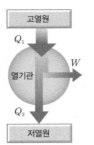

구분	A	B
Q_1	$5Q$	$4Q$
W	(가)	Q
Q_2	$3Q$	(나)

이에 대한 설명으로 옳은 것만을 〈보기〉에서 있는 대로 고른 것은?

〈 보기 〉
ㄱ. (가)＝(나)이다.
ㄴ. 열효율은 A가 B보다 높다.
ㄷ. A, B에 동일한 열을 공급할 때 방출하는 열량은 A가 B보다 작다.

① ㄱ   ② ㄴ   ③ ㄱ, ㄷ
④ ㄴ, ㄷ   ⑤ ㄱ, ㄴ, ㄷ

6 [21915-0136] ○ △ ×

그림은 교류 전원에 연결하여 직류 전류를 흐르게 할 수 있는 어댑터 내부의 회로를 모식적으로 나타낸 것이다. A, B, C, D는 p-n 접합 다이오드이고, 단자 a, b에는 직류 전원을 사용하는 전기 기구가 연결되어 있다.

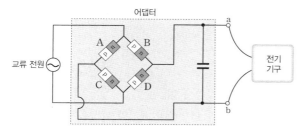

이에 대한 설명으로 옳은 것만을 〈보기〉에서 있는 대로 고른 것은?

〈 보기 〉
ㄱ. 다이오드는 정류 작용을 한다.
ㄴ. 다이오드에 순방향 전압이 걸리면 p형 반도체의 양공과 n형 반도체의 전자는 p-n 접합면에서 멀어진다.
ㄷ. 전류는 a → 전기 기구 → b 방향으로 흐른다.

① ㄱ ② ㄴ ③ ㄷ
④ ㄱ, ㄴ ⑤ ㄱ, ㄷ

7 [21915-0137] ○ △ ×

그림은 무한히 긴 직선 도선 A, B가 점 p, q, r와 같은 간격 d만큼 떨어져 종이면에 수직으로 고정되어 있는 것을 나타낸 것이다. A에는 세기가 I인 전류가 종이면에 수직으로 들어가는 방향으로 흐르고 있고, q에서 A와 B에 의한 자기장의 방향은 화살표 방향이다.

이에 대한 설명으로 옳은 것만을 〈보기〉에서 있는 대로 고른 것은? [3점]

〈 보기 〉
ㄱ. B에 흐르는 전류의 세기는 I보다 크다.
ㄴ. p와 r에서 자기장의 방향은 서로 반대이다.
ㄷ. 자기장의 세기는 p에서가 r에서보다 작다.

① ㄴ ② ㄷ ③ ㄱ, ㄴ
④ ㄱ, ㄷ ⑤ ㄱ, ㄴ, ㄷ

8 [21915-0138] ○ △ ×

그림은 종이면에 수직인 방향으로 각각 균일한 자기장이 형성된 영역 Ⅰ, Ⅱ를 한 변의 길이가 d인 정사각형 도선이 $+x$ 방향으로 일정한 속력으로 통과하는 모습을 나타낸 것이다. 표는 도선의 p점의 위치 x에 따라 도선에 흐르는 전류의 세기와 방향을 나타낸 것이다.

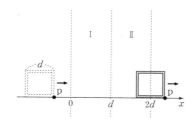

위치	전류의 세기	전류의 방향
$x=0.5d$	I_0	시계 방향
$x=1.5d$	㉠	시계 반대 방향
$x=2.5d$	$2I_0$	㉡

이에 대한 설명으로 옳은 것만을 〈보기〉에서 있는 대로 고른 것은? [3점]

〈 보기 〉
ㄱ. ㉠은 $3I_0$이다.
ㄴ. ㉡은 시계 방향이다.
ㄷ. 자기장의 세기는 Ⅱ에서가 Ⅰ에서의 2배이다.

① ㄴ ② ㄷ ③ ㄱ, ㄴ
④ ㄱ, ㄷ ⑤ ㄱ, ㄴ, ㄷ

[21915-0139] ○ △ ✕

9 그림 (가)는 매질 A에 매질 C, D로 만든 광섬유를 넣고 단색광 a를 A와 C의 경계면에 입사각 θ로 입사시켰을 때 C와 D의 경계면에서 전반사하는 모습을 나타낸 것이다. a가 C에서 A로 진행할 때 C와 A의 경계면에서 a의 굴절각은 θ_C이다. 그림 (나)는 (가)에서 A를 매질 B로 바꾸었을 때 a가 C와 D의 경계면에서 굴절하는 모습을 나타낸 것이다.

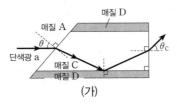
(가)

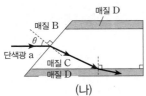
(나)

이에 대한 설명으로 옳은 것만을 〈보기〉에서 있는 대로 고른 것은?

〈 보기 〉

ㄱ. (가)에서 θ를 감소시키는 순간 θ_C는 증가한다.

ㄴ. (나)에서 θ를 감소시키면 C와 D의 경계면에서 a가 전반사 할 수 있다.

ㄷ. a의 속력은 A에서가 B에서보다 작다.

① ㄱ   ② ㄴ   ③ ㄷ
④ ㄱ, ㄷ   ⑤ ㄴ, ㄷ

[21915-0140] ○ △ ✕

10 다음은 광전 효과에 대해 알아보는 실험이다.

[실험 과정]

(1) 그림과 같이 광전관과 전류계를 전원 장치에 연결한다.

(2) 금속판에 비추는 단색광의 세기와 파장을 변화시키며 전류의 세기를 측정한다.

[실험 결과]

실험	단색광의 세기	단색광의 파장	전류의 세기
I	E_1	λ_1	I_1
II	E_1	λ_2	0
III	E_2	λ_1	$1.5I_1$
IV	E_2	λ_2	㉠

이에 대한 설명으로 옳은 것만을 〈보기〉에서 있는 대로 고른 것은? [3점]

〈 보기 〉

ㄱ. $\lambda_1 < \lambda_2$이다.

ㄴ. ㉠은 $1.5I_1$보다 크다.

ㄷ. 광전 효과는 태양열 발전에 이용된다.

① ㄱ   ② ㄴ   ③ ㄷ
④ ㄱ, ㄴ   ⑤ ㄱ, ㄷ

정답과 해설

EBS 수능특강 Q 미니모의고사 **물리학** I

01회 미니모의고사
본문 4~7쪽

1 ⑤	2 ①	3 ③	4 ⑤	5 ③
6 ④	7 ⑤	8 ②	9 ①	10 ②

1 등가속도 직선 운동

평균 속력은 이동 거리를 걸린 시간으로 나눈 값이고, 방향이 변하지 않는 등가속도 직선 운동에서 평균 속력은 처음 속력과 나중 속력의 중간값이다.

정답 맞히기 ㄴ. 가속도의 크기가 $10 \, \text{m/s}^2$이므로 0초~0.5초 동안 속력이 $5 \, \text{m/s}$ 증가한다. 0.5초일 때 속력이 $20 \, \text{m/s}$이므로 기준선을 통과할 때, 즉 0초일 때 속력은 $15 \, \text{m/s}$이다.

다른 풀이 ㄴ. 0초일 때 속력을 v_0이라 하고 등가속도 직선 운동 식 $v = v_0 + at$를 적용하면, $20 = v_0 + 10 \times 0.5$이므로 $v_0 = 15(\text{m/s})$이다.

ㄷ. 등가속도 직선 운동에서 0.5초~3.5초 동안 평균 속력과 1초~3초 동안 평균 속력은 $\frac{20+50}{2} = 35(\text{m/s})$로 같다. 따라서 1초~3초 동안 이동 거리는 $35 \times 2 = 70(\text{m})$이다.

다른 풀이 ㄷ. 0초일 때 비행기의 속력이 $15 \, \text{m/s}$이고 가속도의 크기가 $10 \, \text{m/s}^2$이므로 1초일 때 속력은 $25 \, \text{m/s}$이다. 따라서 등가속도 직선 운동 식 $s = v_0 t + \frac{1}{2} at^2$을 적용하면, 1초~3초 동안 이동한 거리는 $25 \times 2 + \frac{1}{2} \times 10 \times 2^2 = 70(\text{m})$이다.

오답피하기 ㄱ. 0초~1초 동안 평균 속력은 $20 \, \text{m/s}$로 0.5초일 때의 속력과 같고, 3초~4초 동안 평균 속력은 $50 \, \text{m/s}$로 3.5초일 때의 속력과 같다. 따라서 가속도의 크기는 $a = \frac{50-20}{3} = 10(\text{m/s}^2)$이다.

2 운동량과 충격량

물체가 받은 충격량의 크기는 이 물체의 충돌 전후의 운동량 변화량의 크기와 같다.

정답 맞히기 B는 운동량의 변화가 없으므로 B가 받은 알짜 충격량은 0이다. B는 A로부터 오른쪽 방향으로 A의 운동량 변화량의 크기만큼 충격량을 받고, C로부터는 왼쪽 방향으로 C의 운동량 변화량의 크기만큼 충격량을 받는다. 따라서 A가 받은 운동량 변화량의 크기와 C가 받은 운동량 변화량의 크기는 같다.
$|m_A(-0.5-1.5)| = |2(1-0)|$에서 $m_A = 1.0 \, \text{kg}$이다.

3 가속도 법칙과 역학적 에너지

연결된 물체는 같은 속력과 같은 크기의 가속도로 운동하므로 하나의 물체로 취급하여 가속도를 구하고, 연결된 물체 전체의 역학적 에너지는 보존되므로 한 물체의 역학적 에너지 변화를 통해 나머지 물체의 역학적 에너지 변화를 알 수 있다.

정답 맞히기 ㄱ. A, C의 질량을 각각 m_A, m_C라고 하면, 2초일 때 실이 끊어지고 실이 끊어진 직후부터는 A의 중력에 의해 A, B가 함께 운동하므로 $m_A \times 10 = (m_A + 1) \times 8$에서 $m_A = 4 \, \text{kg}$이다. 실이 끊어지기 전에는 A와 C의 중력 차에 의해 A, B, C가 함께 운동하므로, $(4 - m_C) \times 10 = (4 + 1 + m_C) \times 5$에서 $m_C = 1 \, \text{kg}$이다. 따라서 질량은 A가 C의 4배이다.

ㄴ. 실이 끊어진 직후부터 1초 동안 A가 낙하한 거리는 2초에서 3초까지 B가 이동한 거리와 같다. 이동한 거리는 그림 (나)의 속력 – 시간 그래프에서 면적이므로 A가 낙하한 거리는 14 m이다.

오답피하기 ㄷ. 실이 끊어진 후에 A, B의 역학적 에너지의 합은 보존된다. 2초에서 3초까지 B의 역학적 에너지 증가량은 B의 운동 에너지 증가량과 같으므로, $\frac{1}{2} \times 1 \times (18^2 - 10^2) = 112(\text{J})$이다. B의 역학적 에너지가 증가한 만큼 A의 역학적 에너지는 감소하므로, A의 역학적 에너지 감소량은 112 J이다.

4 열역학 제1법칙

A는 팽창하므로 외부에 일을 하고, B는 수축하므로 외부로부터 일을 받는다.

정답 맞히기 ㄱ. 피스톤이 서서히 이동하므로 A, B의 압력은 매 순간 같다. 그런데 부피는 A가 B보다 크다. 이것은 A의 기체 분자의 운동이 B의 기체 분자의 운동보다 활발하기 때문이다. 따라서 피스톤이 정지한 후 내부 에너지는 A가 B보다 크다.

ㄴ. A가 팽창하면서 한 일만큼 B가 일을 받으므로, 전체적으로 외부에 한 일이 없다. 따라서 피스톤이 이동하는 동안 A, B의 내부 에너지 증가량의 합은 공급한 열량과 같은 Q이다.

ㄷ. A가 피스톤을 미는 힘의 크기는 B가 피스톤을 미는 힘의 크기와 같고, 두 피스톤이 이동한 거리가 같다. 따라서 피스톤이 이동하는 동안 A가 외부에 한 일과 B가 외부로부터 받은 일은 같다.

5 특수 상대성 이론

상대적으로 움직이는 관성계의 시간은 느리게 가고(시간 지연), 길이는 운동 방향으로만 수축되는데(길이 수축), 속력이 빠를수록 시간 지연 효과와 길이 수축 효과는 더 크게 나타난다.

정답 맞히기 P, Q, R에서 보면 각각 자신의 운동 방향과 반대 방향으로 버스가 운동한다.

ㄷ. 시간 지연 효과는 운동 방향과는 관계가 없고 속력이 빠를수록 크게 나타나므로, 버스에서의 시간은 R에서 측정할 때가 가장 느리게 간다.

오답피하기 ㄱ, ㄴ. 길이 수축은 P에서 측정하면 x축 방향으로만 일어나고, Q와 R에서 측정하면 y축 방향으로만 일어난다. y축 방향의 길이는 P에서 가장 길게 측정되고 R에서 가장 짧게 측정되며, x축 방향의 길이는 P에서 가장 짧게 측정된다.

6 전기력

(가)에서 A에 작용하는 전기력은 평형을 이루고 있으며, (나)에서 C와 D 사이에는 서로 밀어내는 전기력이 작용하고 있다.

정답 맞히기 ㄴ. A가 정지해 있으므로 B로부터 받는 전기력과 C로부터 받는 전기력의 크기는 같다. A와의 거리는 B보다 C가 가까우므로 전하량의 크기는 B가 C보다 크다.

ㄷ. C와 D 사이에 서로 밀어내는 전기력이 작용하므로 D는 음($-$)전하로 대전되어 있다.

오답피하기 ㄱ. A에 작용하는 전기력이 평형을 이루기 위해서는 A와 C 사이에 당기는 전기력이 작용해야 하므로 C는 음($-$)전하로 대전되어 있다.

7 보어의 수소 원자의 에너지 준위

전자가 높은 에너지 준위에서 낮은 에너지 준위로 전이할 때는 빛을 방출하고, 낮은 에너지 준위에서 높은 에너지 준위로 전이할 때는 빛을 흡수한다.

정답 맞히기 ㄱ. $n=2$인 상태인 전자가 진동수 f_1인 빛을 흡수하면 $n=4$인 상태로 전이하므로 $n=4$인 상태에 있는 전자가 $n=2$인 상태로 전이할 때는 진동수 f_1인 빛을 방출한다.

ㄷ. 광자의 에너지는 $E=hf=\dfrac{hc}{\lambda}$이므로, $hf_1-hf_2=\dfrac{hc}{\lambda_1}$에서 $f_1-f_2=\dfrac{c}{\lambda_1}$이다.

오답피하기 ㄴ. 전자가 전이할 때 방출하는 빛의 파장은 방출되는 에너지에 반비례한다. 따라서 $E_3-E_2<E_4-E_2$이므로, 파장은 $\lambda_1>\lambda_2$이다.

8 전자기 유도

직선 도선 주위의 자기장의 세기는 직선 도선으로부터의 거리에 따라 달라진다.

정답 맞히기 ㄷ. B의 속력을 처음의 2배로 하면 단위 시간당 자기 선속의 변화율은 처음보다 증가한다. 따라서 B에 발생하는 유도 전류의 세기도 처음보다 커진다.

오답피하기 ㄱ. 직선 도선에 흐르는 전류에 의한 자기장의 방향은 앙페르 법칙에 따라 P에서는 xy 평면에서 수직으로 나오는 방향이 된다.

ㄴ. A는 단위 시간당 A를 통과하는 자기 선속이 감소하고 있으며, B는 단위 시간당 B를 통과하는 자기 선속이 증가하고 있다. 따라서 유도 전류의 방향은 A는 시계 반대 방향이며, B는 시계 방향이다.

9 전반사

프리즘에서 매질 A, B로 빛이 동일한 입사각 60°로 각각 입사할 때 A와의 경계에서는 전반사가 일어나므로 A의 굴절률은 프리즘의 굴절률보다 작고, B와의 경계에서는 전반사가 일어나지 않고 굴절각이 입사각보다 작아지는 쪽으로 굴절되므로 B의 굴절률은 프리즘의 굴절률보다 크다.

정답 맞히기 ㄱ. (가)에서 프리즘에서 A로 진행하는 빛의 입사각이 60°일 때 전반사가 일어나므로, 임계각은 60°보다 작다.

오답피하기 ㄴ. (나)에서 빛이 프리즘에서 B로 진행할 때 법선에 가까워지는 쪽으로 굴절이 일어나므로 속력은 프리즘에서가 B에서보다 빠르다. 따라서 빛이 프리즘에서 B로 진행할 때 속력이 작아진다.

ㄷ. (가)에서 빛의 전반사가 일어나므로 굴절률은 프리즘이 A보다 크고, (나)에서 빛의 전반사가 일어나지 않고 빛이 진행 방향에 대해 법선에 가까워지는 쪽으로 굴절되므로, 굴절률은 프리즘이 B보다 작다. 따라서 굴절률은 B가 A보다 크다.

10 광전 효과 실험

광자 1개의 에너지는 빛의 진동수에 비례하고, 금속의 문턱 진동수보다 큰 진동수의 빛을 비출 때 금속판에서 광전자가 방출되는 광전 효과가 일어난다. 이때 광전자의 방출 여부는 빛의 세기와는 관계없다. 적색 단색광을 비출 때는 광전자가 방출되지 않고 청색 단색광을 비출 때 광전자가 방출되므로 금속판의 문턱 진동수는 적색 단색광의 진동수보다는 크고 청색 단색광의 진동수보다는 작음을 알 수 있다.

정답 맞히기 ㄴ. 청색 빛의 광자 1개의 에너지가 금속판의 문턱 진동수보다 크므로 세기를 50 %로 하더라도 광전자가 방출된다.

오답피하기 ㄱ. 적색 빛의 광자 1개의 에너지가 금속판의 문턱 진동수보다 작으므로 세기를 100 %로 하더라도 광전자가 방출되지 않는다.

ㄷ. 적외선의 진동수는 적색 빛의 진동수보다 작으므로 적외선 광자 1개의 에너지가 금속판의 문턱 진동수보다 작아서 세기에 관계없이 광전자가 방출되지 않는다.

02 회 미니모의고사

1 ①	**2** ③	**3** ③	**4** ③	**5** ③
6 ③	**7** ②	**8** ①	**9** ③	**10** ①

1 가속도 법칙

알짜힘은 질량과 가속도의 곱이며, 질량이 일정할 때 알짜힘의 크기는 가속도의 크기에 비례한다.

정답 맞히기 ㄱ. 수레의 질량을 m이라 하고 수레와 추 1개를 한 덩어리로 두어 운동 방정식을 적용하면, $1 \times 10 = (1+m) \times \frac{10}{3}$이 되어 $m = 2 \text{ kg}$이다.

오답피하기 ㄴ. 과정 3에서 수레의 가속도의 크기를 a라 하고 수레와 추 2개를 한 덩어리로 생각하여 운동 방정식을 적용하면, $2 \times 10 = (2+2) \times a$가 되어 $a = 5 \text{ m/s}^2$이다. 즉, (가)는 5 m/s²이다.

ㄷ. 과정 3과 과정 4에서 수레와 추 2개를 한 덩어리로 생각하여 운동 방정식을 적용하면 한 덩어리의 질량은 같고, 한 덩어리에 작용하는 알짜힘은 과정 3에서가 과정 4에서의 2배이므로 수레의 가속도의 크기는 과정 3에서가 과정 4에서의 2배이다.

2 운동량과 충격량

운동량의 변화량은 충격량과 같고, 두 물체가 충돌할 때 물체가 각각 받는 충격량의 크기는 서로 같다.

정답 맞히기 ㄱ. A와 B가 충돌하기 전 A의 운동량의 크기는 $2p_0$이고, 충돌 후 A는 반대 방향으로 크기가 p_0인 운동량으로 운동한다. 충돌 과정에서 A와 B가 받는 충격량의 크기는 같으므로 $2p_0 + p_0 = p_2$에서 $p_2 = 3p_0$이다.

ㄴ. A와 충돌한 후 B의 운동량은 $3p_0$이고, B와 C가 충돌한 후 C의 운동량은 $2p_0$이다. B가 A와 충돌할 때 B가 받은 충격량의 크기는 B의 운동량 변화량과 같으므로 $3p_0$이다. B와 C가 충돌할 때 B가 받은 충격량의 크기는 C의 운동량 변화량의 크기와 같으므로 $2p_0$이다. 따라서 B가 받은 충격량의 크기는 A와 충돌할 때가 C와 충돌할 때보다 크다.

오답피하기 ㄷ. B와 C가 충돌할 때 B가 받은 충격량의 크기는 C의 운동량 변화량의 크기와 같다. 따라서 $|p_1 - p_2| = 2p_0$이고, $p_2 = 3p_0$이므로 $p_1 = p_0$이다. 즉, B와 C가 충돌한 후 B, C의 운동량은 각각 p_0, $2p_0$이다. B, C의 속력을 각각 v_B, v_C라 하고, 질량을 각각 m, $2m$이라고 하면, $p_0 = mv_B$, $2p_0 = 2mv_C$이므로 충돌 후 B와 C의 속력은 같다.

3 역학적 에너지 보존

용수철에 연결되어 연직 방향으로 운동하는 물체에 탄성력과 중력만 작용하는 상황에서는 물체의 중력 퍼텐셜 에너지, 탄성 퍼텐셜 에너지, 그리고 운동 에너지의 합인 역학적 에너지가 항상 보존된다.

정답 맞히기 ㄱ. (가)에서 물체가 처음 낙하하기 시작하는 순간과 최하점에 도달했을 때에 역학적 에너지 보존 법칙을 적용하면, $mg(2L) = \frac{1}{2}k(2L)^2$이 성립하므로 $k = \frac{mg}{L}$이다.

ㄷ. (나)에서 물체의 속력이 최대인 순간은 물체가 $0.5L$만큼 올라가 용수철이 L만큼 늘어난 순간이므로, 대칭에 의해 물체는 물체의 속력이 최대인 순간부터 물체가 $0.5L$만큼 더 올라간 순간 물체의 속력은 0이 되고 최고점에 도달하게 된다. 즉, 물체가 최고점에 올라갔을 때 용수철은 $0.5L$만큼 늘어난 상태이고, 이 순간 탄성 퍼텐셜 에너지는 $\frac{1}{8}kL^2$이다.

오답피하기 ㄴ. 물체에 작용하는 알짜힘이 0일 때 물체의 가속도는 0이고 속력은 최대이다. 따라서 (가)와 (나)에서 모두 용수철이 L만큼 늘어난 순간 물체의 속력은 최대이다.

(가)와 (나)에서 물체의 최대 속력을 각각 $v_{(가)}$, $v_{(나)}$라고 하면, 역학적 에너지 보존에 의해 $\frac{1}{2}kL^2 = \frac{1}{2}mv_{(가)}^2$, $\frac{1}{2}k\left(\frac{L}{2}\right)^2 = \frac{1}{2}mv_{(나)}^2$이 성립하므로, 물체가 올라가는 동안 물체의 최대 속력은 (가)에서가 (나)에서의 2배이다.

4 단열 팽창

실린더가 단열된 상태로 부피가 팽창하므로, (가)에서 (나)로 변하는 동안 기체는 단열 팽창한다.

정답 맞히기 ㄷ. (나)에서 물체의 무게에 의한 압력이 $\frac{mg}{S}$이다. 따라서 (가)에서 (나)로 변하는 동안 압력은 $\frac{mg}{S}$만큼 감소한다.

오답피하기 ㄱ. 부피가 팽창하므로 기체는 외부에 일을 한다.

ㄴ. 단열 팽창하므로 외부에 일을 한 만큼 기체의 내부 에너지가 감소한다.

5 특수 상대성 이론

길이를 측정하는 물체에 대하여 정지해 있는 관찰자가 측정한 물체의 길이를 고유 길이라고 하는데, 물체에 대하여 등속도로 움직이는 다른 관찰자가 측정한 운동 방향과 나란한 방향의 길이는 고유 길이보다 항상 짧다.

정답 맞히기 ㄷ. 우주선이 B에 도착하는 데 걸리는 시간을 민호가 측정할 때는 $t_{민호} = \frac{L_0}{v}$이고, 철수가 측정할 때는 $t_{철수} = \frac{L}{v}$이다. 그런데 $L < L_0$이므로 $t_{철수} < t_{민호}$이다. 따라서 우주선이 B에 도착하는 데 걸리는 시간을 철수가 측정하면 $\frac{L_0}{v}$보다 작다.

오답피하기 ㄱ. 우주선에 대하여 정지해 있는 철수가 측정한 길이가 고유 길이(d_0)이다. 따라서 민호가 측정한 길이(d)는 d_0보다 작다.

ㄴ. A, B에 대하여 정지해 있는 민호가 측정한 A, B 사이의 거리가 고유 거리(L_0)이다. 따라서 철수가 측정한 A, B 사이의 거리(L)는 L_0보다 작다.

6 수소 원자의 에너지 준위

보어의 수소 원자 모형에서 수소 원자의 에너지 준위는 띄엄띄엄한 특정한 값만을 가지며, 선 스펙트럼을 통해 확인할 수 있다.

정답 맞히기 ㄱ. 광자 1개의 에너지는 $E=hf$이고, f_1은 전자가 $n=3$에서 $n=2$인 상태로 전이하며 방출한 빛의 진동수이므로 $E_3-E_2=hf_1$이다.

ㄷ. f_2는 전자가 $n=4$에서 $n=2$인 상태로 전이하며 방출한 빛의 진동수이므로 방출하는 빛의 에너지는 $E_4-E_2=hf_2$이고, f_3은 전자가 $n=5$에서 $n=2$인 상태로 전이하며 방출한 빛의 진동수이므로 방출하는 빛의 에너지는 $E_5-E_2=hf_3$이다. 즉, $h(f_3-f_2)=(E_5-E_2)-(E_4-E_2)=E_5-E_4$이다. 따라서 (f_3-f_2)는 전자가 $n=5$에서 $n=4$인 상태로 전이할 때 방출되는 빛의 진동수와 같다.

오답피하기 ㄴ. 광자 1개의 에너지는 진동수에 비례하는데, 진동수 f_3이 f_2보다 크므로 광자 1개의 에너지는 진동수가 f_3인 빛이 f_2인 빛보다 크다.

7 전류에 의한 자기장

전류에 의한 자기장의 방향은 앙페르 법칙을 따르며, 도선에 흐르는 전류의 세기가 클수록 자기장의 세기가 크다. I_P, I_Q, $I_원$에 따른 원형 도선 중심 O에서의 자기장은 다음 표와 같다.

전류 / 자기장	I_P	I_Q		$I_원$	
	$5I$	$5I$	$10I$	I	$2I$
세기	B	$\frac{1}{2}B$	B	B	$2B$
방향	xy 평면에서 수직으로 나오는 방향	xy 평면에 수직으로 들어가는 방향		xy 평면에 수직으로 들어가는 방향	

정답 맞히기 ㄴ. 실험 Ⅳ에서 원형 도선 중심 O에서 I_P와 I_Q에 의한 자기장의 방향은 서로 반대이고 크기가 같으므로 두 자기장은 상쇄되고, $I_원$에 의한 자기장만 생각하면 된다. 따라서 원형 도선 중심 O에서의 자기장의 세기 ㉠은 $2B$이다.

오답피하기 ㄱ. 실험 Ⅲ에서 I_P에 의한 자기장의 세기가 I_Q에 의한 자기장의 세기보다 크므로, 원형 도선 중심 O에서 자기장의 방향은 xy 평면에서 수직으로 나오는 방향이다.

ㄷ. 실험 Ⅳ에서 O에서의 자기장은 $I_원$에 의한 자기장만 생각하면 되므로 원형 도선 중심 O에서의 자기장의 방향은 xy 평면에 수직으로 들어가는 방향이다.

8 전자기 유도

원형 도선에는 전자기 유도에 의해 유도 전류가 흐르며, 동일한 위치에서 원형 도선의 속력이 클수록 원형 도선에 유도되는 전류의 세기가 크다. 원형 도선에 흐르는 유도 전류의 방향은 점 A와 C에서 바뀐다.

정답 맞히기 ㄴ. 위치-시간 그래프의 기울기는 원형 도선의 속력을 의미하고, 동일한 위치에서 원형 도선의 속력이 클수록 시간에 따른 자기 선속의 변화가 크다. 따라서 B를 지날 때 원형 도선에 흐르는 유도 전류의 세기는 속력이 큰 t_2일 때가 속력이 작은 t_3일 때보다 크다.

오답피하기 ㄱ. t_1일 때 원형 도선은 위로 운동하고, t_2일 때 원형 도선은 아래로 운동하므로 t_1과 t_2일 때 B를 지나는 원형 도선에 흐르는 유도 전류의 방향은 서로 반대이다.

ㄷ. t_3일 때 원형 도선이 자석으로부터 받는 자기력의 방향은 아래쪽이고, t_4일 때 원형 도선이 자석으로부터 받는 자기력의 방향은 위쪽이다. 따라서 원형 도선이 자석으로부터 받는 자기력의 방향은 t_3일 때와 t_4일 때가 서로 반대이다.

9 데이비슨·거머 실험

데이비슨·거머 실험의 결과는 전자(입자)가 파동과 같이 회절하기 때문에 나타나는 현상을 실험적으로 확인한 것으로, 드브로이 물질파 이론이 옳음을 증명한 것이다.

정답 맞히기 ㄱ. θ에 따라 산란된 전자의 수가 달라지는 것은 전자가 결정에 의해 회절하는 파동적 특성 때문이다.

ㄷ. 데이비슨·거머 실험 결과를 파동 이론에 적용하여 구한 전자의 파장과 드브로이 물질파 이론을 적용하여 구한 전자의 파장이 일치한다는 사실로 드브로이 물질파 이론이 옳다는 것을 증명하였다.

오답피하기 ㄴ. $\theta=50°$의 방향으로 산란된 전자의 수가 가장 크므로 산란된 전자들은 보강 간섭 조건을 만족한다.

10 음파의 속력과 굴절

굴절은 소리가 진행하다가 다른 매질을 만났을 때, 그 경계면에서 소리의 진행 방향이 꺾이는 현상이다.

정답 맞히기 ㄴ. 소리가 진행하다가 다른 매질을 만나 굴절될 때 속력이 느린 쪽으로 굴절된다. 따라서 소리의 속력은 공기에서가 이산화 탄소에서보다 빠르다.

오답피하기 ㄱ. 스피커는 전기 신호를 소리로 변환시키는 장치이다.

ㄷ. 마이크에 입력된 소리의 세기가 (나)에서가 (가)에서보다 크게 측정되는 것은 소리가 공기에서 풍선 속 이산화 탄소로 진행할 때 굴절되어 모인 것이므로 소리의 굴절로 설명할 수 있다.

03회 미니모의고사

본문 12～15쪽

1 ⑤	2 ⑤	3 ④	4 ③	5 ④
6 ③	7 ③	8 ③	9 ②	10 ①

1 등가속도 직선 운동과 평균 속력

평균 속력은 이동 거리를 걸린 시간으로 나누어 구한다. 등가속도 직선 운동에서 처음 속력이 v_0, 나중 속력이 v일 때 평균 속력은 $\dfrac{v_0+v}{2}$이다.

정답 맞히기 Q에서의 속력을 v', P에서 Q까지 걸린 시간을 t라 하면 P에서 Q까지의 평균 속력과 Q에서 R까지의 평균 속력은 각각 $\dfrac{v+v'}{2}$, $\dfrac{v'+3v}{2}$이므로 P에서 R까지 운동할 때 평균 속력은

$$\dfrac{\left(\dfrac{v+v'}{2}\right)\times t+\left(\dfrac{v'+3v}{2}\right)\times t}{2t}=3v$$

이다. 따라서 $v'=4v$이다.

P에서 Q까지와 Q에서 R까지의 걸린 시간이 같으므로 평균 속력은 이동 거리에 비례한다. P에서 Q까지와 Q에서 R까지의 평균 속력이 각각 $\dfrac{v+4v}{2}=2.5v$, $\dfrac{4v+3v}{2}=3.5v$이므로 $L_1 : L_2=5 : 7$이다.

2 운동량과 충격량

힘-시간 그래프에서 그래프와 시간 축이 이루는 면적은 충격량의 크기이고, 충격량은 운동량의 변화량과 같다.

정답 맞히기 ㄱ. A가 B로부터 받은 충격량의 크기는 그래프와 시간 축이 이루는 면적이고, 방향은 A의 처음 운동 방향과 반대이다. 즉, A의 처음 운동 방향을 (+)으로 하면, A가 B로부터 받은 충격량은 $-4\,\text{kg}\cdot\text{m/s}$이다. 충격량은 운동량의 변화량과 같으므로, 충돌 후 A의 속도를 v_A라고 하면, $-4=m\times v_A-m\times 4$에서 충돌 후 A의 속도는 $v_A=\dfrac{4(m-1)}{m}\,\text{m/s}$이다. 따라서 $m>1$이면 $v_A>0$가 되어 충돌 후 A의 운동 방향은 처음 운동 방향과 같다.

ㄴ. 충돌하는 동안 B가 받은 충격량의 크기는 A가 받은 충격량의 크기와 같다.

ㄷ. 충돌하는 동안 B가 받은 충격량의 크기는 A가 받은 충격량의 크기와 같고, 충격량은 운동량의 변화량과 같으므로 충돌 후 B의 속도를 v_B라고 하면, $4=4m\times v_B-4m\times 0$에서 충돌 후 B의 속력은 $v_B=\dfrac{1}{m}\,\text{m/s}$가 된다.

3 역학적 에너지 보존

역학적 에너지 보존은 운동 에너지와 중력 퍼텐셜 에너지의 합이 일정하다는 것이다.

정답 맞히기 ㄴ. B의 중력 퍼텐셜 에너지의 감소량은 A의 중력 퍼텐셜 에너지의 증가량과 A, B의 운동 에너지의 증가량의 합과 같다. A, B의 운동 에너지의 증가량을 각각 E_A, E_B라고 하면,

$E_0-\dfrac{3}{4}E_0=E_A+E_B$에서 $E_A+E_B=\dfrac{1}{4}E_0$이다. A가 q를 지날 때 A, B의 속력을 각각 v라 하면 $E_A+E_B=\dfrac{1}{2}(2m)v^2+\dfrac{1}{2}mv^2=\dfrac{3}{2}mv^2=\dfrac{1}{4}E_0$이다. 따라서 $v=\sqrt{\dfrac{E_0}{6m}}$이다.

ㄷ. A와 B의 역학적 에너지의 합은 일정하다. A가 p에서 q까지 이동하는 동안 A의 중력 퍼텐셜 에너지와 운동 에너지는 증가하므로 A의 역학적 에너지는 증가한다. 따라서 B의 역학적 에너지는 감소한다.

오답피하기 ㄱ. 물체에 작용하는 알짜힘이 물체에 해 준 일은 물체의 운동 에너지의 변화량과 같다. A가 q를 지날 때 A와 B의 속력은 같으므로 A가 p에서 q까지 이동하는 동안 운동 에너지의 변화량은 질량이 더 큰 A가 크다. 따라서 물체에 작용하는 알짜힘이 물체에 해 준 일은 A가 B보다 크다.

4 열기관과 열효율

1주기 동안 고열원으로부터 공급받는 열량이 Q_1이고, 저열원으로 방출하는 열량이 Q_2이면 열기관의 열효율은 $e=\dfrac{W}{Q_1}=\dfrac{Q_1-Q_2}{Q_1}=1-\dfrac{Q_2}{Q_1}$이다.

정답 맞히기 ㄱ. B → C 과정에서 실린더 내부의 부피가 팽창한다. 따라서 열기관은 외부에 일을 한다.

ㄴ. 1주기 동안 공급받는 열량이 20 J이고, 방출하는 열량이 12 J이다. 따라서 1주기 동안 외부에 하는 일은 $W=20-12=8(\text{J})$이다.

오답피하기 ㄷ. $e=\dfrac{20-12}{20}=0.4$이므로 열효율은 40 %이다.

5 광섬유와 전반사

굴절률이 큰 매질에서 굴절률이 작은 매질로 빛이 진행할 때 입사각이 임계각보다 크면 빛이 경계면에서 모두 반사되는 전반사 현상이 일어난다. 따라서 굴절률은 B가 A보다 크다. (나), (다)에서 동일한 입사각으로 빛이 공기에서 A, B로 각각 입사되면 굴절각은 (나)에서가 (다)에서보다 크다. 따라서 공기에서 A, B로 굴절된 빛이 다시 공기로 진행할 때 입사각은 (다)에서가 (나)에서보다 크다.

정답 맞히기 ㄴ. 입사각이 임계각보다 클 때 전반사가 일어난다. 따라서 (가)에서 단색광이 B에서 A로 진행할 때 임계각은 θ_0보다 작다.

ㄷ. A, B로 굴절된 빛이 각각 공기로 진행할 때 입사각은 (다)에서가 (나)에서보다 크고 굴절률은 B가 A보다 크므로, (나), (다)에서 단색광이 각각 A와 B를 통해서만 전달되기 위한 θ의 범위는 (다)에서가 (나)에서보다 크다.

오답피하기 ㄱ. B에서 A로 진행하는 빛이 A와 B의 경계에서 모두 전반사되므로 굴절률은 B가 A보다 크다.

6 특수 상대성 이론

특수 상대성 이론은 시간을 상대적으로 보기 때문에 한 관찰자에게 동시에 일어난 사건이 다른 관찰자에게는 동시가 아닐 수 있다.

정답 맞히기 ㄷ. 철수가 측정했을 때 A와 B에서 동시에 출발한 빛이 철수에게 동시에 도달했으면, 영희가 측정했을 때 A와 B에서 빛이 출발한 시간은 동시가 아니지만 빛이 철수에게 도달한 시간은 동시이다. 영희가 측정했을 때 철수가 탄 우주선은 오른쪽으로 운동한다. A에서 출발한 광자는 $0.8c$의 속력으로 오른쪽으로 운동하는 철수를 향해 운동하고, B에서 출발한 광자는 철수를 향해 왼쪽으로 운동하고 철수는 B를 향해 오른쪽으로 운동한다. 따라서 광원에서 출발한 광자가 철수 위치에 도달하는 데 걸린 시간은 A에서 출발한 광자가 B에서 출발한 광자보다 크다. 영희가 측정할 때 A와 B에서 출발한 빛이 철수에 동시에 도달하기 위해서는 A가 B보다 먼저 빛을 방출해야 한다.

오답피하기 ㄱ. 철수가 측정했을 때 영희의 우주선이 $0.8c$의 속력으로 운동하고 있으면, 영희가 측정했을 때 철수의 우주선은 $0.8c$의 속력으로 운동하고 있다.

ㄴ. 철수가 측정했을 때 A와 B 사이의 거리가 $2L_0$으로 측정되었다면, 영희가 측정했을 때 철수가 탄 우주선이 $0.8c$의 속력으로 운동하고 있기 때문에 철수의 우주선은 길이 수축이 일어난다. 따라서 영희가 측정한 A와 B 사이의 거리는 $2L_0$보다 작다.

7 물질파

입자의 드브로이 파장이 λ일 때 입자의 운동량 p와의 관계는
$\lambda = \dfrac{h}{p} = \dfrac{h}{mv} = \dfrac{h}{\sqrt{2mE_k}}$로 나타낼 수 있다.

정답 맞히기 A는 운동 에너지가 $4E_0$이고 물질파 파장이 λ_0이므로 $\lambda_0 = \dfrac{h}{\sqrt{8m_A E_0}}$가 성립하며, B는 운동 에너지가 E_0이고 물질파 파장이 $2\lambda_0$이므로 $2\lambda_0 = \dfrac{h}{\sqrt{2m_B E_0}}$가 성립한다. 따라서 $m_A = \dfrac{h^2}{8E_0\lambda_0^2}$이고, $m_B = \dfrac{h^2}{8E_0\lambda_0^2}$이므로 $m_A : m_B = 1 : 1$이다.

8 직선 전류에 의한 자기장

직선 전류에 의한 자기장의 방향은 오른손 엄지손가락을 전류의 방향으로 향하고, 나머지 네 손가락으로 도선을 감아쥐었을 때 네 손가락이 가리키는 방향이다. 자기장의 세기(B)는 직선 도선에 흐르는 전류의 세기(I)에 비례하고, 직선 도선으로부터의 거리(r)에 반비례한다.

$$B \propto \dfrac{I}{r}$$

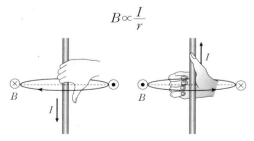

정답 맞히기 ㄱ. (나)에서 $x = \dfrac{a}{2}$인 곳에 자기장이 0이 되기 위해서는 직선 도선 A와 B에 흐르는 전류에 의한 자기장의 방향이 반대이어야 한다. A와 B에 흐르는 전류에 의한 자기장의 방향이 반대가 되기 위해서는 A와 B에 흐르는 전류의 방향은 같아야 한다.

ㄴ. B 바로 왼쪽에서 자기장의 방향이 종이면에서 수직으로 나오는 방향이므로 B에 흐르는 전류의 방향은 위쪽이다.

오답피하기 ㄷ. $x = 2a$인 곳에서 A, B, C에 흐르는 전류에 의한 자기장의 세기가 0이 되기 위해서는 B에 흐르는 전류에 의한 자기장을 상쇄시키기 위한 전류 I와 A에 흐르는 전류에 의한 자기장을 상쇄시키기 위한 전류 $0.5I$가 흘러야 한다. 따라서 C에 흐르는 전류의 세기는 $1.5I$이다.

9 다이오드

p형 반도체와 n형 반도체를 접합하여 다이오드나 발광 다이오드(LED)를 만들 수 있다. 전원 장치의 극성을 모르는 경우, LED에 걸린 전압이 순방향인지, 역방향인지를 확인하여 문제를 풀 수 있다.

정답 맞히기 ㄷ. A에서 빛이 방출되고 있으므로 A의 전압이 순방향이다. 다이오드 Q에도 전압이 순방향이어야 하므로 X가 p형 반도체이고, Y가 n형 반도체이다. n형 반도체는 전자가 많아지도록 도핑된 반도체이다.

오답피하기 ㄱ. LED B에 걸리는 전압이 역방향이므로 B에는 전류가 흐르지 않는다.

ㄴ. A에서 빛이 방출되고 있으므로 A에 걸리는 전압이 순방향이다. 따라서 a에서 전류의 방향은 오른쪽이다.

10 전하 결합 소자(CCD)

전하 결합 소자(CCD)는 빛을 전기 신호로 바꾸어 영상을 기록하는 장치로, 색 필터를 통과하는 빛의 세기가 셀수록 광 다이오드의 p-n 접합면에서 n형 반도체 쪽으로 이동하는 광전자의 수도 많다.

정답 맞히기 ㄱ. 빛에 의해 광 다이오드의 p-n 접합면에서 n형 반도체 쪽으로 발생하는 입자이므로 ⓐ는 광전자이다.

오답피하기 ㄴ. 초록색 필터와 연결된 광 다이오드의 p-n 접합면에서는 광전자가 발생하지 않으므로 초록색 필터를 통과하는 빛은 없다. 따라서 빛에는 초록색 빛이 포함되어 있지 않다.

ㄷ. 광 다이오드의 p-n 접합면에서 발생한 광전자의 수는 파란색 필터와 연결된 광 다이오드의 p-n 접합면에서 가장 많으므로, 색 필터를 통과한 빛의 세기는 파란색 필터를 통과한 빛이 빨간색 필터를 통과한 빛보다 세다.

04 미니모의고사

1 ③	2 ③	3 ①	4 ①	5 ①
6 ①	7 ⑤	8 ②	9 ⑤	10 ⑤

1 가속도 법칙과 작용 반작용 법칙

물체가 서로 반대 방향으로 크기가 다른 두 힘을 받을 때 물체가 받는 알짜힘의 크기는 두 힘의 절댓값의 차이이다. 원숭이가 줄에 작용하는 힘과 줄이 원숭이에게 작용하는 힘은 작용 반작용 관계이다.

정답 맞히기 ㄱ. 원숭이에게 작용하는 알짜힘의 크기는 $4\,kg \times 0.5\,m/s^2 = 2\,N$이다.

ㄴ. 원숭이에게 작용하는 알짜힘의 크기가 2 N이고 원숭이에게 작용하는 중력의 크기가 40 N이므로, 줄이 원숭이에게 작용하는 힘의 크기는 42 N이다.

오답피하기 ㄷ. 작용 반작용 법칙을 적용하면 원숭이가 줄에게 작용하는 힘의 크기는 줄이 원숭이에게 작용하는 힘의 크기와 같은 42 N이다. 따라서 줄이 상자를 당기는 힘의 크기도 42 N이므로, 지면이 상자를 떠받치는 힘의 크기는 200 N−42 N=158 N이다.

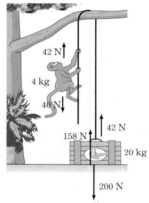

[원숭이와 상자에 작용하는 힘]

2 충격량과 운동량

힘-시간 그래프에서 그래프와 시간 축이 이루는 면적은 충격량의 크기와 같다.

정답 맞히기 ㄱ. (나)를 통해 0~t_1 동안의 충돌 과정에서 작용한 평균 힘의 크기는 $\dfrac{2S}{t_1}$임을 알 수 있고, t_2~t_3 동안의 충돌 과정에서 작용한 평균 힘의 크기는 $\dfrac{S}{t_3-t_2}$임을 알 수 있다. 따라서 트램펄린이 철수에 작용한 평균 힘의 크기는 0~t_1 동안에서가 t_2~t_3 동안에서보다 크다.

ㄴ. 높이 h_A에서 철수가 자유 낙하 하여 바닥에 도달 직전의 속력은 $\sqrt{2gh_A}$이다. 또한 충돌 직후의 속력은 높이 h_B에서 철수가 자유 낙하 하여 바닥에 도달 직전의 속력인 $\sqrt{2gh_B}$이다. 따라서 t_1, t_2일 때 철수의 속력은 $\sqrt{2gh_B}$임을 알 수 있다.

오답피하기 ㄷ. $2S = m(\sqrt{2gh_A} + \sqrt{2gh_B})$이다. 따라서 S의 크기는 $\dfrac{m(\sqrt{2gh_A} + \sqrt{2gh_B})}{2}$이다.

3 역학적 에너지 보존

운동 에너지와 퍼텐셜 에너지의 합을 역학적 에너지라고 한다.

정답 맞히기 ㄱ. $F=ma$에서 $10(N)=5(kg) \times a$이므로 가속도의 크기는 $a=2\,m/s^2$이다. 따라서 물체에 작용하는 알짜힘의 크기는 $F=ma$에서 8 N이다.

오답피하기 ㄴ. 물체와 추의 총 역학적 에너지는 변하지 않지만, 물체의 역학적 에너지가 증가하고, 추의 역학적 에너지가 감소한다. 즉, 추의 감소한 역학적 에너지는 물체의 증가한 역학적 에너지와 같다. 물체의 역학적 에너지 증가는 운동 에너지 증가와 같은데, 물체의 처음 속력이 2 m/s, 나중 속력이 $2\sqrt{2}$ m/s이므로 증가한 운동 에너지=나중 운동 에너지−처음 운동 에너지=16 J −8 J=8 J이다.

ㄷ. 등가속도 직선 운동 식 $2as=v^2-v_0^2$에서 $2 \times 2 \times 1 = v^2 - 2^2$이므로 $v = 2\sqrt{2}$ m/s이다.

4 핵융합 반응

핵반응식에서 반응 전과 후에 질량수의 합과 원자 번호(양성자수)의 합은 같다. 질량수는 원자 번호(양성자수)와 중성자수의 합이다. 또한 동위 원소는 원자 번호는 같지만 질량수가 다르다. 핵반응에서 에너지는 질량 결손에 의해 발생한다.

정답 맞히기 ㄱ. 핵반응 전과 후에 질량수의 합과 원자 번호의 합은 보존되어야 하므로 (가)는 $_1^3H$이고, (나)는 중성자($_0^1n$)이다. 질량수는 원자 번호(양성자수)와 중성자수의 합이므로, (가)는 중성자수가 양성자수보다 크다.

오답피하기 ㄴ. (나)는 중성자($_0^1n$)이므로 전하를 띠지 않는다.

ㄷ. A에서가 B에서보다 방출된 에너지가 작으므로, 질량 결손은 A에서가 B에서보다 작다.

5 전자기 유도

도선에는 자기 선속의 변화를 방해하는 방향으로 유도 전류가 흐른다. a, b, c를 통과할 때 유도 전류의 방향, 유도 전류의 세기에 대해서 자세히 학습할 필요가 있다.

정답 맞히기 ㄱ. P가 a를 지날 때와 c를 지날 때 유도 전류의 방향은 서로 같은데, a에서 전류의 방향은 시계 반대 방향이므로 c에서도 시계 반대 방향이어야 한다. 따라서 Ⅱ에서 자기장의 방향은 종이면에서 수직으로 나오는 방향이어야 한다.

오답피하기 ㄴ. 유도 전류의 방향은 오른손 법칙으로 찾아야 한다. P가 a를 지날 때 유도 전류의 방향은 시계 반대 방향이고, Ⅱ에서 자기장의 방향이 종이면에서 수직으로 나오는 방향이므로, P가 b를 지날 때 유도 전류의 방향은 시계 방향이다.

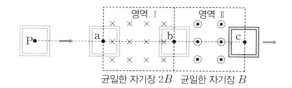

영역 Ⅰ   영역 Ⅱ

균일한 자기장 $2B$ 균일한 자기장 B

	a	b	c
유도 전류	시계 반대 방향	시계 방향	시계 반대 방향
자기장의 변화	$0 \rightarrow 2B$	$2B \rightarrow -B$	$-B \rightarrow 0$
유도 전류의 세기 순위	2	1	3

(종이면에 수직으로 들어가는 방향을 (+)으로 함)

ㄷ. 유도 전류의 세기는 표에서와 같이 자기장의 변화가 가장 큰 지점에서 가장 크다. 따라서 유도 전류의 세기는 P가 b를 지날 때 가장 크고, P가 c를 지날 때 가장 작다.

6   발광 다이오드(LED)와 반도체

발광 다이오드(LED)는 p형 반도체와 n형 반도체를 접합하여 만들고, 반도체 재질을 조절해 띠 간격을 다르게 하면 다양한 색깔의 빛을 만들어 낼 수 있다. (나)의 X는 전자이고, (다)의 Y는 양공이다.

정답 맞히기   ㄴ. (다)에서 저마늄(Ge) 속에서 불순물 역할을 하는 인듐(In)은 원자가 전자가 3개이므로 Y는 양공이다.

오답피하기   ㄱ. (가)에서 전원 장치의 (+)극이 연결된 a가 p형 반도체이고, (-)극이 연결된 b가 n형 반도체이다. (나)는 n형 반도체, (다)는 p형 반도체에 해당한다.

ㄷ. X는 비소(As)에 의해 형성된 여분의 전자이다. 전자는 전기장 속에서 전기장의 방향과 반대 방향으로 전기력을 받는다. 따라서 X를 전기장 속에 두었을 때, X가 받는 전기력의 방향은 전기장의 방향과 반대이다.

7   전하와 전기력

두 점전하 사이에 전기력이 작용할 때 같은 종류의 전하 사이에는 서로 밀어내는 힘(척력)이 작용하고, 다른 종류의 전하 사이에는 서로 당기는 힘(인력)이 작용한다. 그리고 전기력의 크기는 두 전하의 전하량의 곱에 비례하고, 두 전하 사이의 거리의 제곱에 반비례한다.

정답 맞히기   ㄴ. (가)에서 B가 받는 전기력의 크기와 (나)에서 C가 받는 전기력의 크기가 같은데, A로부터의 거리가 C가 B의 2배이므로 전하량의 크기는 C가 B보다 크다.

ㄷ. (가)에서 A와 B가 서로에게 작용하는 전기력은 작용 반작용 관계이므로 크기가 같다. (나)에서 A와 C가 서로에게 작용하는 전기력은 작용 반작용 관계이므로 크기가 같다. (가)에서 B가 받는 전기력의 크기와 (나)에서 C가 받는 전기력의 크기가 같으므로, (가)와 (나)에서 A가 받는 전기력의 크기는 같다.

오답피하기   ㄱ. (가)에서 B가 받는 전기력의 방향과 (나)에서 C가 받는 전기력의 방향이 반대이므로, B와 C는 서로 다른 종류의 전하이다.

8   굴절 법칙

빛이 매질1에서 매질2로 진행하고, 입사각이 i, 굴절각이 r일 때 굴절 법칙은 $\dfrac{n_2}{n_1} = \dfrac{\sin i}{\sin r} = \dfrac{v_1}{v_2} = \dfrac{\lambda_1}{\lambda_2}$이다. $\theta = 15°$이므로 A에서 B로 진행할 때와 B에서 C로 진행할 때 입사각과 굴절각은 그림과 같다.

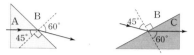

정답 맞히기   ㄴ. 단색광이 B에서 C로 진행할 때 입사각은 45°이고, 굴절각은 60°이다. $\dfrac{\lambda_B}{\lambda_C} = \dfrac{\sin 45°}{\sin 60°} = \sqrt{\dfrac{2}{3}}$이다.

오답피하기   ㄱ. 빛이 굴절률이 다른 매질로 진행하더라도 빛의 진동수는 변하지 않는다. 단색광의 진동수는 A와 B에서 같다.

ㄷ. 단색광이 A에서 B로 진행할 때 입사각은 45°이고, 굴절각은 60°이므로 $\dfrac{n_B}{n_A} = \dfrac{\sin 45°}{\sin 60°} = \sqrt{\dfrac{2}{3}}$이다. 그리고 단색광이 B에서 C로 진행할 때는 $\dfrac{n_C}{n_B} = \dfrac{\sin 45°}{\sin 60°} = \sqrt{\dfrac{2}{3}}$이므로, $n_A = \dfrac{3}{2} n_C$이다.

9   열역학 과정

이상 기체가 채워진 부피가 일정한 실린더에 열을 공급하면 기체의 온도는 상승하고 압력은 증가한다.

정답 맞히기   ㄱ. A는 부피가 일정한 상태로 열을 공급받으므로 (나)에서 온도는 상승한다.

ㄴ. A에 공급한 열량은 A와 B의 내부 에너지 증가량과 B가 외부에 한 일의 합과 같다. A와 B의 온도 변화는 같으므로 A와 B의 내부 에너지 변화량은 같다. A와 B의 내부 에너지 변화량을 각각 ΔU, B가 외부에 한 일을 W라고 하면 $8 = 2\Delta U + W$이다. $\Delta U = 3$ J이므로 $W = 2$ J이다.

ㄷ. A는 등적 과정이고 B는 등압 과정이다. 즉, A의 압력은 증가하고, B의 압력은 일정하다. A에 열량을 공급하기 전 A, B의 부피, 온도, 몰수가 각각 같으므로 압력은 A와 B가 같았다. 그러나 A는 열량을 공급받아 압력이 증가하였고 B는 압력이 변하지 않았으므로, (나)에서 p의 고정핀을 제거하면 A의 부피는 증가한다.

10   주사 전자 현미경

주사 전자 현미경은 전자선을 시료의 전체 표면에 차례대로 쪼일 때 시료에서 튀어나온 전자를 측정한다. 주사 전자 현미경으로 관찰하려는 시료는 전기 전도도가 좋아야 한다. 따라서 전기 전도도가 낮은 생물 시료는 금, 백금 등과 같이 전기 전도도가 좋은 물질로 얇게 코팅해야 한다.

정답 맞히기   철수: (가)는 주사 전자 현미경의 구조이다.

영희: 주사 전자 현미경에서 자기렌즈는 전자를 초점으로 모으는 역할을 한다.

민수: 주사 전자 현미경은 시료 표면의 3차원적인 구조를 볼 수 있으므로, (나)의 B 영상을 관찰할 수 있다.

1 ④	2 ②	3 ②	4 ⑤	5 ①
6 ⑤	7 ③	8 ④	9 ③	10 ③

1 등가속도 직선 운동 실험

등가속도 직선 운동에서 적용할 관계식은 다음과 같다.

$$v=v_0+at, \ s=v_0t+\frac{1}{2}at^2, \ 2as=v^2-v_0^2$$

정답 맞히기 ㄴ. 가속도의 크기가 $0.2 \ \text{m/s}^2$이고 정지한 수레로부터 P까지 거리는 $0.1 \ \text{m}$이므로 $s=\frac{1}{2}at^2$에서 $t=1$초, 즉 수레가 정지 상태에서 P까지 이동하는 데 걸린 시간은 1초이다.

ㄷ. 실험 3에서 정지한 수레가 Q까지 이동하는 데 걸린 시간은 4초이다. 가속도의 크기가 $0.2 \ \text{m/s}^2$이므로 정지한 수레로부터 Q까지 거리는 $s=\frac{1}{2}at^2$에서 $1.6 \ \text{m}$, 즉 $160 \ \text{cm}$이다. 따라서 ㉠에 들어갈 값은 $160 \ \text{cm}-10 \ \text{cm}=150 \ \text{cm}$이다.

오답피하기 ㄱ. P를 지날 때 수레의 속력을 v_0이라고 하면 등가속도 직선 운동 관계식을 이용하여 가속도의 크기를 구할 수 있다. $s=v_0t+\frac{1}{2}at^2$에서 $0.3=v_0+\frac{1}{2}a$와 $0.8=2v_0+2a$를 연립하면, 수레의 가속도의 크기는 $a=0.2 \ \text{m/s}^2$이다.

2 충격량과 운동량

충돌 과정에서 A, B가 주고받은 충격량의 크기가 같으므로 A, B의 운동량 변화량의 크기도 같다. 충돌 전 B의 속도는 $-0.5 \ \text{m/s}$이고, 충돌 후 B의 속도는 $0.5 \ \text{m/s}$이므로 B의 운동량 변화량의 크기는 $4 \ \text{kg·m/s}$이다. 충돌 전후 A의 속도 변화량의 크기가 $4 \ \text{m/s}$이므로 A의 질량은 $1 \ \text{kg}$이다.

정답 맞히기 ㄴ. 운동량은 질량과 속도의 곱이므로, 충돌 전 A, B의 운동량의 크기는 $2 \ \text{kg·m/s}$로 같다.

오답피하기 ㄱ. A, B가 충돌하는 동안, A가 B로부터 받은 충격량의 크기는 A의 운동량 변화량의 크기와 같고, A의 운동량 변화량의 크기는 B의 운동량 변화량의 크기와 같으므로 $4 \ \text{kg·m/s}=4 \ \text{N·s}$이다.

ㄷ. 충돌 후 A의 운동 에너지는 $\frac{1}{2}\times1\times2^2=2(\text{J})$이고, B의 운동 에너지는 $\frac{1}{2}\times4\times0.5^2=0.5(\text{J})$이다. 따라서 충돌 후 운동 에너지는 A가 B의 4배이다.

3 운동 법칙과 일·운동 에너지 정리

연직 위로 등가속도 운동하는 물체에 작용하는 힘이 한 일은 중력 퍼텐셜 에너지 증가량과 같다.

정답 맞히기 ㄴ. 속력–시간 그래프의 기울기로부터 3초일 때 물체의 가속도의 크기는 $5 \ \text{m/s}^2$임을 알 수 있다. 따라서 물체에 작용하는 알짜힘의 크기는 $5 \ \text{N}$이고, 실이 물체에 작용하는 힘의 크기를

T라고 하면 $T-10 \ \text{N}=5 \ \text{N}$에서 $T=15 \ \text{N}$이다.

오답피하기 ㄱ. 0초~2초까지 물체의 속력이 일정하므로, 실이 물체를 끌어당기는 힘이 한 일은 물체의 중력 퍼텐셜 에너지 증가량과 같다. 속력–시간 그래프에서 그래프와 시간 축이 이루는 면적이 이동 거리이므로, 0초~2초까지 이동 거리는 $20 \ \text{m}$이다. 따라서 0초~2초까지 실이 물체를 당기는 힘이 한 일은 $1\times10\times20=200(\text{J})$이다.

ㄷ. 2초~4초까지 물체의 역학적 에너지 증가량은 물체의 운동 에너지 증가량과 중력 퍼텐셜 에너지 증가량의 합과 같다. 따라서 알짜힘이 한 일은 역학적 에너지 증가량보다 작다.

4 단열 과정과 등온 과정

등온 과정에서는 기체의 내부 에너지 변화가 없고, 기체의 부피가 증가하면 기체가 한 일과 기체가 흡수한 열량이 같으며, 기체의 부피가 감소하면 기체가 받은 일과 기체가 방출한 열량이 같다.

정답 맞히기 ㄱ. (가)는 단열 과정이므로 기체의 열 출입은 0이다. 따라서 기체가 외부로부터 받은 일만큼 내부 에너지가 증가하므로, 기체의 내부 에너지 증가량은 S_1이다.

ㄴ. (나)는 등온 과정이므로 기체의 내부 에너지 변화가 없다. 이때 기체가 외부로부터 받은 일은 기체가 외부로 방출한 열량과 같다. 따라서 기체가 받은 일은 그래프 아래 면적과 같으므로 기체가 방출한 열량은 S_2이다.

ㄷ. 단열 압축 과정이 일어나면 기체의 내부 에너지가 증가하므로, 기체의 온도는 상승한다. 따라서 $T_1>T_2$이다.

5 전기력

점전하 사이의 거리가 같을 때 전기력의 크기는 점전하의 전하량의 곱에 비례한다.

정답 맞히기 ㄱ. A, C, E 모두 양(+)전하이다. 따라서 A, C는 모두 E에 척력을 작용하므로 A가 E에 작용하는 전기력의 방향과 C가 E에 작용하는 전기력의 방향은 서로 반대이다.

오답피하기 ㄴ. A, D 사이의 거리와 B, C 사이의 거리가 같고, A, D와 B, C 각각의 전하량의 곱의 크기도 같으므로 A가 D에 작용하는 전기력의 크기와 B가 C에 작용하는 전기력의 크기는 서로 같다.

ㄷ. B와 A, C와 D 사이에 작용하는 전기력은 모두 인력이다. 따라서 B가 A에 작용하는 전기력의 방향과 C가 D에 작용하는 전기력의 방향은 모두 $-x$ 방향으로 같다.

6 핵분열과 핵융합

핵반응에서는 반응 전과 후 질량수의 합이 같아야 하고, 원자 번호의 합도 같아야 한다. 수소 핵융합은 태양 중심부와 같이 1500만 K 정도되는 초고온 상태에서 발생한다. 핵반응을 하는 동안 발생하는 에너지는 핵반응 전과 후 질량 결손에 의해서 발생한다.

정답 맞히기 ㄱ. 핵반응에서는 반응 전과 후, 질량수의 합이 같아야 하므로 ㉠의 질량수는 $236-(141+3)=92$이고, 또한 원자 번호의 합도 같아야 하므로 ㉠의 원자 번호는 $92-56=36$이다. 따

라서 ㉠의 (질량수-원자 번호)값($=92-36=56$)은 $^{141}_{56}\text{Ba}$의 원자 번호와 같다.

ㄷ. 핵반응 시 반응물의 질량의 합은 생성물의 질량의 합보다 크며, 핵반응의 결과로 나타나는 에너지는 질량 결손에 의해서 발생한다.

오답피하기 ㄴ. (나)의 수소 핵융합 반응은 태양 중심부와 같이 1500만 K 정도되는 초고온 상태에서 발생하므로, 수소 핵융합 발전은 초고온 상태를 유지하는 장치가 필요하다.

7 전자의 전이

전자가 에너지가 E_{n+1}인 상태에서 E_n인 상태로 전이할 때 방출되는 광자의 에너지는 두 에너지 준위의 차인 $E_{n+1}-E_n$이다.

정답 맞히기 ㄷ. 진동수 f_c는 전자가 $n=4$에서 $n=2$인 상태로 전이할 때 방출되는 스펙트럼선의 진동수이다. 따라서 $E_4-E_2=hf_c$이므로 $f_c=\dfrac{E_4-E_2}{h}$이다.

오답피하기 ㄱ. E_4-E_2와 E_3-E_2의 차보다 E_6-E_2와 E_5-E_2의 차가 더 작으므로 스펙트럼선이 촘촘한 곳에서 방출되는 전자기파의 에너지가 더 크다. 따라서 촘촘한 곳의 스펙트럼선의 진동수가 더 크다. 진동수가 f_a인 빛은 4개의 스펙트럼선 중에서 가장 에너지가 큰 빛으로, 전자가 $n=6$에서 $n=2$인 상태로 전이할 때 방출된 빛이다.

ㄴ. f_d는 전자가 $n=3$에서 $n=2$인 상태로 전이할 때 방출되는 빛의 진동수로, 4개의 스펙트럼선 중에서 진동수가 가장 작다.

8 직선 도선과 원형 도선에 흐르는 전류에 의한 자기장

동일한 평면 위에 놓인 직선 도선과 원형 도선에 흐르는 전류에 의한 임의의 지점에서의 자기장의 세기는 직선 도선과 원형 도선에 의한 각각의 자기장의 방향이 같으면 자기장의 세기는 증가하고, 각각의 자기장의 방향이 반대이면 자기장의 세기는 작아지거나 0이 된다.

정답 맞히기 ㄱ. A, B의 전류의 방향과 세기가 같으므로 P에서 직선 도선 A, B에 흐르는 전류에 의한 자기장은 0이다. 따라서 P에서의 자기장은 C에 흐르는 전류에 의한 자기장과 같으므로 ㉠은 B_0, $-y$ 방향이다.

ㄷ. 원형 도선 중심에서의 자기장의 세기는 원형 도선에 흐르는 전류의 세기에 비례하고 원형 도선의 반지름에 반비례한다. 따라서 P, Q에서의 자기장의 세기는 P에서가 Q에서의 $\dfrac{1}{3}$배이므로 D에 흐르는 전류의 세기는 C에 흐르는 전류의 세기의 6배이다 $\left(3B_0\propto\dfrac{I_\text{D}}{2r},\right.$ $\left.B_0\propto\dfrac{I_\text{C}}{r}\right)$.

오답피하기 ㄴ. Q에서의 자기장은 D에 흐르는 전류에 의한 자기장과 같다. 따라서 Q에서의 자기장의 방향은 $-y$ 방향이므로, D에 흐르는 전류의 방향은 시계 방향이다.

9 횡파와 종파

(가)는 횡파로서 파동의 진행 방향과 매질의 진동 방향이 서로 수

직이고, (나)는 종파로서 파동의 진행 방향과 매질의 진동 방향이 서로 나란하다. 파동의 속력은 횡파와 종파에 관계없이 진동수와 파장의 곱이다.

정답 맞히기 ㄱ. (가)에서 p의 진동 방향은 파동의 진행 방향과 수직이고, (나)에서 q의 진동 방향은 파동의 진행 방향과 나란하다. (가)와 (나)에서 파동의 진행 방향이 같으므로 p와 q의 진동 방향은 서로 수직이다.

ㄷ. (가)와 (나)에서 파동의 속력을 v, 파동의 진동수를 각각 f_1, f_2라고 하면, 파동의 속력은 진동수와 파장의 곱이므로 $f_1=\dfrac{v}{2l}$이고, $f_2=\dfrac{v}{\frac{5}{4}l}=\dfrac{4v}{5l}$이다. 따라서 파동의 진동수는 (가)에서가 (나)에서의 $\dfrac{5}{8}$배이다.

오답피하기 ㄴ. (가)에서 파동의 파장은 $2l$이고, (나)에서 파동의 파장은 $\dfrac{5}{4}l$이다. 따라서 파동의 파장은 (가)에서가 (나)에서의 $\dfrac{8}{5}$배이다.

10 광전 효과

금속에서 광전자가 방출될 때 광전자의 최대 운동 에너지는 금속의 종류와 빛의 진동수에 의해 결정된다. B를 P에 비출 때와 C를 Q에 비출 때 방출되는 광전자의 최대 운동 에너지가 서로 같으므로 C가 B보다 진동수가 큰 빛이다.

정답 맞히기 ㄱ. A에 의해 P에서는 광전자가 방출되고 Q에서는 광전자가 방출되지 않으므로, 금속의 문턱 진동수는 Q가 P보다 크다.

ㄴ. 문턱 진동수는 Q가 P보다 크므로 같은 진동수의 빛을 비추면 광전자의 최대 운동 에너지는 P에서가 Q에서보다 커야 한다. 그런데 B를 P에 비출 때와 C를 Q에 비출 때 방출되는 광전자의 최대 운동 에너지가 서로 같으므로 진동수는 C가 B보다 크다.

오답피하기 ㄷ. 진동수는 C가 B보다 크고, 문턱 진동수는 Q가 P보다 크므로, 방출되는 광전자의 최대 운동 에너지는 B를 Q에 비출 때가 C를 P에 비출 때보다 작다.

06회 미니모의고사
본문 24~27쪽

1 ⑤	2 ④	3 ②	4 ②	5 ⑤
6 ③	7 ③	8 ③	9 ⑤	10 ①

1 등속도 운동과 등가속도 직선 운동

다리의 시작점과 끝점에서 B의 속력을 각각 v_0, v_B라고 하면, A, B는 같은 시간 t_0 동안 같은 거리 L을 운동하므로 평균 속력이 같다. 따라서 $\frac{v_0+v_B}{2}=v_A$에서 $v_0+v_B=2v_A$이다. 또한 B의 속력이 일정하게 변하므로 A와 B의 속력이 같아질 때까지 걸린 시간을 t라고 하면 $t=\frac{t_0}{2}$이다. 따라서 A, B의 속력을 시간에 따라 나타내면 다음과 같이 2가지 그래프로 나타낼 수 있다.

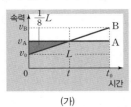
(가)

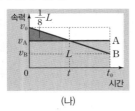
(나)

정답 맞히기 다리에서 A와 B의 속력이 같은 순간 A와 B 사이의 거리(그래프에서 삼각형 음영 부분의 면적)가 $\frac{1}{8}L$이 되기 위해서는 그래프로부터 (가)에서는 $v_A=2v_0$, $v_B=3v_0$이고, (나)에서는 $v_A=2v_B$, $v_0=3v_B$이어야 한다. 따라서 (가)와 같이 B가 속력이 증가하는 등가속도 운동을 하는 경우는 $\frac{v_B}{v_A}=\frac{3}{2}$이고, (나)와 같이 B가 속력이 감소하는 등가속도 운동을 하는 경우는 $\frac{v_B}{v_A}=\frac{1}{2}$이다. 따라서 $\frac{v_B}{v_A}$로 가능한 값은 $\frac{3}{2}$이다.

2 운동량과 충격량

충격량과 운동량의 관계에서 $I=Ft=\Delta p$이므로 $F=\frac{\Delta p}{t}$이다.

정답 맞히기 ㄱ. 0에서 $3t$까지 물체가 받은 충격량의 크기는 운동량 변화량의 크기와 같으므로 mv_0이다.

ㄴ. $2t$인 순간은 물체의 속력이 감소하고 있는 순간이므로 스펀지가 물체에 작용한 힘의 방향은 물체의 운동 방향과 반대 방향이다.

오답피하기 ㄷ. 0에서 $2t$까지 운동량은 $0.5mv_0$만큼 변하였고, $2t$에서 $3t$까지 운동량도 $0.5mv_0$만큼 변하였다. 평균 힘의 크기는 $F=\frac{\Delta p}{t}$이므로 물체에 작용한 평균 힘의 크기는 0에서 $2t$까지가 $2t$에서 $3t$까지보다 작다.

3 일과 역학적 에너지

중력장에서 물체에 작용하는 중력에 의해 물체가 낙하하면 물체의 중력 퍼텐셜 에너지는 감소하고, 중력의 반대 방향으로 힘이 작용하여 물체의 속력이 증가하면 힘이 물체에 한 일은 물체의 역학적 에너지를 증가시킨다.

정답 맞히기 물체가 h만큼 운동하는 동안 (가)에서 중력이 물체에 한 일은 물체의 운동 에너지 변화량과 같다. 물체가 h만큼 운동하는 동안 (나)에서 F가 물체에 한 일은 물체의 중력 퍼텐셜 에너지 증가량과 운동 에너지 변화량의 합과 같다. (가)와 (나)에서 동일한 물체의 높이 변화가 같으므로 (가)에서 중력이 한 일은 (나)에서 중력 퍼텐셜 에너지 변화량과 같고, 운동 에너지 변화량은 (가)에서와 (나)에서가 같으므로 $W_2=2W_1$이다. 따라서 $W_1:W_2=1:2$이다.

다른 풀이 물체의 질량을 m이라고 하면, (가)에서 중력이 물체에 한 일(mgh)은 물체의 운동 에너지 변화량 $\frac{1}{2}m[(2v)^2-v^2]=\frac{3}{2}mv^2$과 같다. (나)에서 F가 물체에 한 일은 물체의 중력 퍼텐셜 에너지 증가량(mgh)과 물체의 운동 에너지 변화량($\frac{3}{2}mv^2$)의 합이므로 $2\times\left(\frac{3}{2}mv^2\right)$이다.

4 열역학 제1법칙

열역학 제1법칙 $Q=\Delta U+W$에서 기체가 열을 흡수($Q>0$)하면 내부 에너지가 증가($\Delta U>0$)하고 기체가 팽창($W>0$)하여 외부에 일을 한다. 그리고 등적 과정에서 이상 기체가 흡수한 열량은 기체의 내부 에너지 증가량과 같다.

정답 맞히기 ㄴ. A → C 과정은 부피가 팽창하는 등압 과정이므로 기체가 열을 흡수하고 내부 에너지가 증가한다. 따라서 기체의 온도는 올라간다.

오답피하기 ㄱ. A → B 과정에서 부피가 변하지 않고 압력이 증가하므로 기체의 온도는 올라간다. 따라서 기체의 평균 속력은 증가한다.

ㄷ. A → B 과정에서 기체가 흡수한 열량은 기체의 내부 에너지 증가에만 쓰이고, A → C 과정에서 기체가 흡수한 열량은 기체의 내부 에너지 증가와 기체가 외부에 일을 하는 데 사용된다. 그런데 A → B 과정과 A → C 과정에서 내부 에너지 증가량이 같으므로, 기체가 흡수한 열량은 A → B 과정에서가 A → C 과정에서보다 작다.

5 뮤온과 특수 상대성 이론

특수 상대성 이론에서 뮤온의 속도가 클수록 시간 지연도 크게 일어난다. A와 B의 고유 수명은 t_0으로 같지만 철수가 측정할 때 A가 B보다 속력이 크다. $t=\dfrac{t_0}{\sqrt{1-\left(\dfrac{v}{c}\right)^2}}$의 관계에서 속력 v가 클수록 시간 지연이 커진다.

정답 맞히기 ㄱ. 영희가 측정할 때 A는 정지해 있다. 따라서 영희는 뮤온의 고유 수명인 t_0을 측정한다.

ㄴ. A가 B보다 속력이 크므로 시간 지연은 A가 B보다 크다. 시간 지연이 클수록 붕괴할 때까지 걸린 시간이 커지므로, 철수가 측정할 때 B가 A보다 먼저 붕괴한다.

ㄷ. 철수가 측정할 때 A의 시간이 지연되므로 A가 생성된 순간부터 붕괴하는 순간까지 이동한 거리는 $0.9ct_0$보다 크다.

6 전기력과 힘의 평형

도넛 모양의 물체가 서로 같은 종류의 전하로 대전되어 있으면, 척력이 작용하여 바닥에 놓인 도넛 모양의 물체와 서로 반발하여 또 다른 도넛 모양의 물체가 공중에 떠 있게 된다.

정답 맞히기 ㄱ. (가)에서 B가 공중에 떠서 정지해 있으므로 B에 작용하는 알짜힘은 0이다. 따라서 A가 B에 작용하는 전기력의 방향은 중력의 방향과 반대 방향이고, 힘의 크기는 m_Bg와 같다.

ㄴ. 전기력은 전하량의 곱에 비례하고 거리의 제곱에 반비례한다. 따라서 A, B와 A, C 사이의 전하량의 곱은 서로 같고 거리의 제곱은 A, C가 A, B보다 크므로 A가 B에 작용하는 전기력의 크기는 A가 C에 작용한 전기력의 크기보다 크다. 여기서 A가 B에 작용하는 전기력의 크기는 m_Bg이고, A가 C에 작용하는 전기력의 크기는 m_Cg이므로 $m_B > m_C$이다.

오답피하기 ㄷ. (가)에서 A가 바닥에 작용하는 힘은 중력과 전기력이다. 따라서 A가 바닥에 작용하는 힘의 크기는 $m_Ag + m_Bg$이다.

7 직선 도선에 흐르는 전류에 의한 자기장

평행하게 놓인 두 직선 도선에 같은 방향으로 전류가 흐르면 자기장이 0인 곳은 두 직선 도선 사이에 위치한다.

정답 맞히기 ㄱ. $1.5t$일 때는 A에만 전류가 흐른다. A에는 $-z$ 방향으로 전류가 흐르므로 P에서의 자기장의 방향은 $-y$ 방향이다.

ㄴ. $2.5t$일 때는 A, B에만 전류가 흐른다. P에서 A, B에 흐르는 전류에 의한 자기장의 세기와 방향은 같고, Q에서 A, B에 흐르는 전류에 의한 자기장의 방향은 서로 반대이다. Q에서 B에 흐르는 전류에 의한 자기장의 세기는 A에 흐르는 전류에 의한 자기장의 세기의 3배이다. 따라서 $2.5t$일 때 P에서와 Q에서의 자기장의 세기는 같다.

오답피하기 ㄷ. $3.5t$일 때 A, B, C에 모두 전류가 흐른다. 이때 R에서 B, C까지의 거리는 같으며, 도선에 흐르는 전류의 세기는 C가 B의 $\frac{2}{3}$배이다. 따라서 R에서 C에 흐르는 전류에 의한 자기장의 세기는 B에 흐르는 전류에 의한 자기장의 세기의 $\frac{2}{3}$배이다.

8 p−n 접합 다이오드의 정류 작용

p−n 접합 다이오드는 순방향 전압이 걸릴 때는 전류가 흐르지만, 역방향 전압이 걸릴 때는 전류가 흐르지 않는다. 이러한 특징 때문에 다이오드는 정류 작용에 이용된다.

정답 맞히기 S를 열었을 때 전류가 흐르지 않으므로 Y는 n형 반도체이고, S를 닫았을 때 전류가 흐르므로 X와 Z는 p형 반도체이다. 따라서 p형 반도체는 X, Z이다.

9 전반사와 광섬유

광섬유는 전반사를 이용하여 빛을 멀리까지 보내는 데 사용된다. 광섬유의 코어는 클래딩보다 굴절률이 커야 하고, 코어와 클래딩 사이의 임계각보다 큰 입사각으로 입사할 때 빛은 코어 안에서 전반사하며 진행한다.

정답 맞히기 ㄴ. θ_i를 작게 하면 Ⅰ에서의 굴절각이 작아지고, Ⅰ에서 Ⅱ로 진행하는 입사각이 작아지므로 Ⅱ에서의 굴절각도 작아진다. Ⅱ에서의 굴절각이 작아지면 Ⅱ에서 Ⅲ으로 진행하는 입사각이 커지므로 Ⅲ에서의 굴절각도 커지기 때문에 Ⅲ에서 공기로 입사하는 각이 θ_c보다 커진다. 따라서 θ_i를 작게 하면 A는 Ⅲ과 공기의 경계에서 전반사한다.

ㄷ. A의 속력은 Ⅰ에서보다 Ⅱ에서 빠르고, Ⅱ에서보다 Ⅲ에서 빠르다. 코어의 굴절률이 크고 클래딩의 굴절률이 작을수록 θ가 작아지므로 Ⅰ, Ⅱ, Ⅲ 중에서 코어를 Ⅰ, 클래딩을 Ⅲ으로 만들 때 θ가 가장 작다.

오답피하기 ㄱ. A가 Ⅰ에서 Ⅱ로 입사할 때 굴절각이 입사각보다 크므로, A의 속력은 Ⅱ에서가 Ⅰ에서보다 크다.

10 드브로이 물질파

드브로이 물질파 이론에 따르면 질량이 m, 속력이 v인 입자의 물질파 파장은 $\lambda = \dfrac{h}{mv}$이고, 입자의 운동 에너지를 E_k라고 하면 입자의 물질파 파장은 $\lambda = \dfrac{h}{\sqrt{2mE_k}}$이다.

정답 맞히기 ㄱ. 물질파 파장 $\lambda = \dfrac{h}{mv} = \dfrac{h}{\sqrt{2mE_k}}$이므로, 운동 에너지가 E_0으로 같을 때 질량이 작은 A가 파장이 더 길다. 따라서 X는 A, Y는 B에 해당한다.

오답피하기 ㄴ. $\lambda = \dfrac{h}{mv}$에서 파장이 같을 때, 질량이 작은 A의 속력이 B보다 크다.

ㄷ. $\lambda = \dfrac{h}{\sqrt{2mE_k}}$에서 운동 에너지가 E_0으로 같을 때 $\lambda \propto \dfrac{1}{\sqrt{m}}$이므로 A가 B의 $\sqrt{2}$배이다.

07회 미니모의고사
본문 28～31쪽

1 ①	2 ③	3 ①	4 ③	5 ②
6 ①	7 ⑤	8 ⑤	9 ②	10 ③

1 빗면에서 물체의 운동
초당 30프레임을 촬영하므로 6프레임에 해당하는 시간은 0.2초이다. 실험 결과에서 6프레임(0.2초) 시간 간격 동안의 구간 속도와 속도 변화량의 크기를 구하면 다음과 같다.

프레임	0	6	12	18	24
시간(s)	0	0.2	0.4	0.6	0.8
위치(cm)	0	2.5	10	22.5	40
구간 속도 (cm/s)		12.5	37.5	62.5	87.5
속도 변화량 (cm/s)			25	25	25

표의 구간 속도는 평균 속도를 의미하므로, 속도-시간 그래프로 나타내면 다음과 같다.

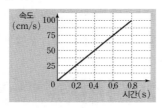

정답 맞히기   ㄱ. 0프레임부터 24프레임이 촬영될 때까지 0.8초 동안 40 cm를 이동하므로 평균 속력은 50 cm/s=0.5 m/s이다.

오답피하기   ㄴ. 속도-시간 그래프의 기울기로부터 가속도의 크기는 $1.25 \, \text{m/s}^2$이다.
ㄷ. 그래프에서 12프레임이 촬영된 0.4초일 때 속력은 0.5 m/s이다.

2 충격량과 운동량
A와 B가 충돌하는 동안 A가 B로부터 받은 충격량의 크기는 B가 A로부터 받은 충격량의 크기와 같고, 충돌하는 동안 물체가 받은 충격량은 물체의 운동량 변화량과 같다.

정답 맞히기   ㄱ. (가)에서 P와 Q 사이의 거리를 L, A와 B가 충돌할 때까지 걸린 시간을 t라고 하면 $L=v_1 t+v_2 t \cdots$ ①이고, (나)에서는 A와 B가 충돌할 때까지 걸린 시간이 $3t$이므로 $L=v_1(3t)-v_2(3t)\cdots$②이다. 따라서 식 ①과 ②로부터 $v_1=\dfrac{2L}{3t}$, $v_2=\dfrac{L}{3t}$이므로 $v_1=2v_2$이다.
ㄴ. (가)에서 A와 B가 충돌하는 동안 A가 B로부터 받은 충격량의 크기는 B가 A로부터 받은 충격량의 크기와 같다. 또한 B가 A로부터 받은 충격량의 크기는 B의 운동량 변화량의 크기와 같다.

오답피하기   ㄷ. 충격량의 크기는 운동량 변화량의 크기와 같다. A의 질량을 m이라고 할 때, (가)에서는 충돌 전후 A의 운동 방향이 반대이므로 A의 운동량 변화량은 $m(-v_2-v_1)=-3mv_2$이고, (나)에서는 충돌 전후 A의 운동 방향이 같으므로 A의 운동량 변화량은 $m(v_2-v_1)=-mv_2$이다. 따라서 충돌하는 동안 A가

받은 충격량의 크기는 (가)에서가 (나)에서의 3배이다.

3 역학적 에너지 보존
마찰과 공기 저항이 없을 때 역학적 에너지는 보존된다. 따라서 물체를 놓은 순간부터 용수철에 닿기 직전까지 물체의 중력 퍼텐셜 에너지 감소량은 물체의 운동 에너지 증가량과 같고, 물체를 놓은 순간부터 용수철과 충돌한 후 용수철이 h만큼 압축될 때까지 물체의 중력 퍼텐셜 에너지 감소량은 탄성 퍼텐셜 에너지 증가량과 같다.

정답 맞히기   ㄱ. 물체를 놓은 순간부터 용수철에 닿기 직전까지 물체의 중력 퍼텐셜 에너지 감소량은 물체의 운동 에너지 증가량과 같으므로, 물체가 용수철에 닿기 직전 물체의 속력을 v라고 하면, $mg(3h)=\dfrac{1}{2}mv^2$이므로 $v=\sqrt{6gh}$이다.

오답피하기   ㄴ. 용수철에 닿기 직전 물체의 높이는 $2h$이므로 중력 퍼텐셜 에너지는 $mg(2h)$이고, 역학적 에너지 보존에 따라 용수철에 닿기 직전 물체의 운동 에너지는 감소한 중력 퍼텐셜 에너지인 $mg(3h)$이다. 따라서 물체가 용수철에 닿기 직전, 물체의 운동 에너지는 중력 퍼텐셜 에너지보다 크다.
ㄷ. 물체가 용수철을 h만큼 압축하여 정지한 순간, 감소한 물체의 중력 퍼텐셜 에너지는 증가한 탄성 퍼텐셜 에너지와 같다. 따라서 용수철 상수를 k라고 하면, $mg(4h)=\dfrac{1}{2}kh^2$에서 $k=\dfrac{8mg}{h}$이다.

4 열기관
열기관은 반복되는 순환 과정을 거쳐 열에너지를 역학적 에너지로 전환하는 장치이다.

정답 맞히기   ㄱ, ㄴ. 그래프에서 B→C 과정은 단열 과정이므로 주변과 열 교환을 하지 않는다. 따라서 열기관의 고열원에서 흡수하는 열 Q_1은 등온 과정, 즉 A→B 과정에서 흡수하게 된다. 열기관은 순환 과정이므로 한 번의 순환 과정에서 내부 에너지 변화량은 0이다. 따라서 외부로 방출한 열량이 Q_2일 때 순환 과정에서 기체가 한 일은 $W=Q_1-Q_2$이다. 그래프에서 폐곡선의 넓이가 기체가 한 일에 해당한다.

오답피하기   ㄷ. 열기관의 열효율 e는 고열원에서 흡수한 열량에 대하여 외부에 한 일의 비로 정의한다. 즉, $e=\dfrac{W}{Q_1}=\dfrac{Q_1-Q_2}{Q_1}$ $=1-\dfrac{Q_2}{Q_1}$이므로, $\dfrac{Q_2}{Q_1}$가 클수록 열효율은 감소한다.

5 동시성의 상대성
특수 상대성 이론은 시간을 상대적으로 보기 때문에 한 관찰자에게 동시에 일어난 사건이 다른 관찰자에게는 동시가 아닐 수 있다.

정답 맞히기   ㄷ. 영희가 측정할 때 철수의 시간이 자신의 시간보다 느리게 가는 것으로 관측한다.

오답피하기   ㄱ. 민수와 영희는 같은 우주선을 타고 있으므로 같은 관성 기준계에 있다. 따라서 민수가 측정할 때 철수가 탄 우주선의 길이도 L이다.

ㄴ. 민수가 측정할 때 우주선 속 검출기 A, B에 빛이 동시에 도달하였으므로, 같은 우주선의 영희가 관찰할 때에도 빛은 A와 B에 동시에 도달한다.

6 p-n 접합 다이오드의 연결

p-n 접합 다이오드에 순방향 전압이 걸리면 p-n 접합면 쪽으로 양공과 전자가 이동하여 양공과 전자의 결합이 일어난다.

정답 맞히기 ㄱ. 저마늄(Ge)에 인(P)을 도핑했을 때 공유 결합에 참여하지 못하는 여분의 전자가 생겼고, 붕소(B)를 도핑했을 때 공유 결합 중 전자의 빈자리인 양공이 생겼다. 따라서 인(P)은 원자가 전자가 5개인 원소이고, 붕소(B)는 원자가 전자가 3개인 원소이다. 원자가 전자는 인(P)이 붕소(B)보다 많다.

오답피하기 ㄴ. X는 p형 반도체, Y는 n형 반도체이므로 S를 a에 연결하면 다이오드에는 순방향 전압이 걸리게 된다. 따라서 전자는 p-n 접합면 쪽으로 이동하게 된다.

ㄷ. S를 b에 연결하면 다이오드에는 역방향 전압이 걸리므로 저항에는 전류가 흐르지 않는다.

7 두 직선 전류에 의한 자기장

a에서의 자기장의 세기가 b에서의 자기장의 세기보다 크므로 Q에는 P보다 큰 전류가 $+y$ 방향으로 흐르고 있다.

정답 맞히기 ㄱ. P가 a와 b에 형성하는 자기장의 세기가 B_0이면 Q가 a에 만드는 자기장의 세기는 $\frac{2}{3}B_0$, b에 만드는 자기장의 세기는 $2B_0$이다. 따라서 a가 Q로부터 떨어진 거리가 P로부터 떨어진 거리의 3배이므로, Q에 흐르는 전류의 세기는 $2I$이다.

ㄴ. a와 b에서 P와 Q에 의한 자기장의 방향은 xy 평면에서 수직으로 나오는 방향으로 서로 같다.

ㄷ. c에는 P와 Q가 만드는 자기장의 방향이 같으므로, c에서 자기장의 세기는 $\frac{5}{3}B_0$보다 크다.

8 점전하에 작용하는 전기력

두 점전하 사이에 작용하는 전기력의 크기는 두 점전하의 전하량의 곱에 비례하고, 점전하 사이의 거리의 제곱에 반비례한다.

정답 맞히기 ㄱ. C에 작용하는 전기력은 0이고, B와 C 사이의 거리는 $2d$, A와 C 사이의 거리는 $3d$이다. A, C의 전하량의 크기를 각각 Q_A, Q_C라고 하면 $\frac{Q_A Q_C}{(3d)^2}=\frac{Q Q_C}{(2d)^2}$이다. 따라서 $Q_A=\frac{9}{4}Q$이다.

ㄴ. 만일 C가 음($-$)전하라고 하면, B와 C는 당기는 전기력이 작용하므로 A와 C 사이에는 서로 밀어내는 전기력이 작용해야 한다. 이때 A는 음($-$)전하이다. 만일 C가 양($+$)전하라고 하면, B와 C는 서로 밀어내는 전기력이 작용하므로 A와 C 사이에는 서로 당기는 전기력이 작용해야 한다. 이때 A는 음($-$)전하이다. 따라서 A는 C의 종류에 관계없이 음($-$)전하라는 것을 알 수 있다. A는 음($-$)전하이므로 A와 B 사이에는 당기는 전기력이 작용하고, B에 작용하는 전기력의 방향은 $+x$ 방향이라고 했으므로 B와 C 사

이에는 당기는 전기력이 작용해야 한다. 따라서 C는 음($-$)전하라는 것을 알 수 있다. 이를 정리하면, A와 C는 모두 음($-$)전하이므로 A와 C 사이에는 서로 밀어내는 전기력이 작용한다.

ㄷ. $+x$ 방향으로 작용하는 전기력을 ($+$)이라 하고, A, B에 작용하는 전기력을 각각 F_A, F_B라고 하면,

$F_A=k\dfrac{Q_A Q}{d^2}-k\dfrac{Q_A Q_C}{9d^2}=k\dfrac{9Q^2}{4d^2}-k\dfrac{QQ_C}{4d^2}$ ⋯①이고,

$F_B=-k\dfrac{Q_A Q}{d^2}+k\dfrac{Q Q_C}{4d^2}=-k\dfrac{9Q^2}{4d^2}+k\dfrac{QQ_C}{4d^2}$이다.

따라서 B에 작용하는 전기력의 방향은 $+x$ 방향이라고 하였으므로, $k\dfrac{QQ_C}{4d^2}>k\dfrac{9Q^2}{4d^2}$ ⋯②이다. 식 ②를 ①에 대입하여 정리하면, $F_A<0$이므로 A에 작용하는 전기력의 방향은 $-x$ 방향이다.

9 광전 효과

금속판에 금속판의 문턱 진동수보다 큰 진동수의 빛을 비추면 광전 효과가 나타나므로 전류계에 전류가 흐른다. 이때 빛의 세기가 셀수록 전류계에 흐르는 전류의 세기는 증가한다.

정답 맞히기 ㄴ. $5t_0<t<6t_0$일 때, 금속판에 비추는 B의 세기가 증가하므로 금속판에서 방출되는 광전자의 수가 증가하여 전류계에 흐르는 전류의 세기는 증가한다.

오답피하기 ㄱ. A는 금속판의 문턱 진동수보다 작은 진동수의 빛이므로 빛의 세기에 관계없이 금속판에서 광전자를 방출시키지 못하고, B는 금속판의 문턱 진동수보다 큰 진동수의 빛이므로 빛의 세기에 관계없이 금속판에서 광전자를 방출시킨다. 따라서 전류계에 흐르는 전류의 세기는 $4t_0<t<5t_0$일 때가 $0<t<t_0$일 때보다 크다.

ㄷ. $4t_0$에서 $7t_0$까지 B에 의해 광전 효과가 일어나지만, 금속판에서 방출되는 광전자의 최대 운동 에너지는 빛의 진동수가 증가할 때 증가하므로, 진동수가 일정한 B에 의해 방출되는 광전자의 최대 운동 에너지는 같다.

10 파동의 표현

진폭, 파장, 주기, 진동수 등을 활용하여 파동을 표현한다.

정답 맞히기 ㄱ. 실선의 파동이 처음으로 점선 모양이 되는 데 걸린 시간이 1초이다. 영희가 구한 파동의 주기가 4초이므로 영희가 측정한 파동의 진행 방향은 ⓑ이고, 파동의 진행 방향은 서로 반대이므로 철수가 측정한 파동의 진행 방향은 ⓐ이다.

ㄴ. 철수가 측정한 파동의 진행 방향이 ⓐ이고, 실선의 파동이 처음으로 점선 모양이 되는 데 걸린 시간이 1초이므로, $1=\frac{3}{4}T_0$에서 $T_0=\frac{4}{3}$초이다.

오답피하기 ㄷ. 파동의 파장은 $\lambda_1=4$ cm이고 $v_1=\dfrac{\lambda_1}{T_0}$이므로 정리하면, $v_1=\dfrac{4}{\frac{4}{3}}=3$(cm/s)이다.

다른 풀이 ㄷ. 실선의 파동이 처음으로 점선 모양이 되는 데 걸린 시간이 1초이고, 1초 동안 파동이 3 cm만큼 진행하였으므로 $v_1=3$ cm/s이다.

1 ④	2 ③	3 ③	4 ③	5 ①
6 ①	7 ①	8 ③	9 ⑤	10 ②

1   가속도-시간, 변위-시간 그래프 해석

0초부터 4초까지 철수와 영희의 이동 거리가 같으므로 평균 속력은 같다. 가속도-시간 그래프에서 그래프와 시간 축이 이루는 면적으로부터 0초~2초까지와 2초~4초까지 철수의 속도 변화량의 크기는 각각 4 m/s이고, 영희의 속력 $\frac{2d}{4}$ 를 기준으로 0초~2초까지 철수의 평균 속력이 $\frac{2d}{4}$ 가 되어야 하므로, 2초일 때 철수의 속력은 $\frac{d}{4}$ 가 되어야 한다.

정답 맞히기 ㄱ. 0초~2초까지 철수의 속도 변화량의 크기가 4 m/s이므로 $\frac{3d}{4}-\frac{d}{4}=4$ 에서 $d=8$ 임을 알 수 있다.

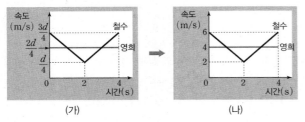
(가)   (나)

ㄷ. 속도-시간 그래프에서 3초일 때 철수의 속력은 4 m/s이다.

오답피하기 ㄴ. 0초~4초까지 철수의 속도의 부호가 바뀌지 않으므로 철수의 운동 방향은 바뀌지 않는다.

2   충격량과 운동량

충격량은 운동량의 변화량과 같다. 물체의 질량이 m, 처음 속도가 v_0, t초 후의 속도가 v일 때, 일정한 크기의 힘 F가 물체에 작용하면 물체가 받은 충격량은 $Ft=mv-mv_0$이 성립한다.

정답 맞히기 ㄱ. 충격량은 운동량의 변화량과 같고, 정지 상태에서 출발하여 속력이 $2v$가 되므로 물체가 s만큼 운동하는 동안 크기가 F인 힘으로부터 받은 충격량의 크기는 $2mv$이다.

ㄴ. 물체가 s만큼 운동하는 데 걸린 시간을 t라고 하면, $Ft=m(2v-0)$에서 $t=\frac{2mv}{F}$이다.

오답피하기 ㄷ. 물체와 벽이 충돌하는 동안 물체의 운동량 변화량은 $m(-v-2v)=-3mv$이고, 충돌하는 동안 물체가 벽에 가한 충격량의 크기는 물체의 운동량 변화량의 크기와 같으므로 $3mv$이다.

3   역학적 에너지

물체의 역학적 에너지는 $10E_0$이고, Q에서 중력 퍼텐셜 에너지는 $5E_0$이다.

정답 맞히기 ㄴ. 물체의 역학적 에너지가 $10E_0$이므로 Q에서 중력 퍼텐셜 에너지 (가)는 $5E_0$이다.

ㄷ. 물체의 질량을 m이라고 하면 Q에서는 $5E_0=\frac{1}{2}mv_Q{}^2$이고, P에서는 $3E_0=\frac{1}{2}mv_P{}^2$이므로 $v_Q=\sqrt{\frac{10E_0}{m}}$, $v_P=\sqrt{\frac{6E_0}{m}}$이다. 따라서 물체의 속력은 Q에서가 P에서의 $\sqrt{\frac{5}{3}}$ 배이다.

오답피하기 ㄱ. 역학적 에너지는 운동 에너지와 중력 퍼텐셜 에너지의 합과 같다. 따라서 P에서의 자료로부터 역학적 에너지가 $10E_0$임을 알 수 있다.

ㄹ. 중력 퍼텐셜 에너지는 지면으로부터의 높이에 비례한다. P와 Q의 중력 퍼텐셜 에너지의 비는 7 : 5이므로 지면에서 Q까지의 높이는 P와 Q 사이 거리의 2.5배이다.

4   열역학 제1법칙

등압 과정에서 기체가 흡수한 열량은 내부 에너지 증가량과 외부에 한 일의 합과 같다.

정답 맞히기 ㄱ. A → B 과정은 등압 팽창 과정이므로 기체는 외부에 일을 한다.

ㄴ. B → C 과정은 단열 과정이므로 기체가 외부에 한 일만큼 내부 에너지는 감소한다.

오답피하기 ㄷ. A와 C에서 온도가 같으므로 기체의 내부 에너지도 같다. 내부 에너지는 A → B 과정에서 증가하고, B → C 과정에서 감소한다. 따라서 A → B 과정에서 내부 에너지 증가량과 B → C 과정에서 내부 에너지 감소량은 같다.

5   특수 상대성 이론

광속 불변 원리에 의하면 관찰자의 운동 상태에 관계없이 광속은 항상 일정하다. 또한 정지한 관찰자가 광속에 가까운 매우 빠른 속력으로 운동하는 물체를 측정할 때 물체는 운동 방향으로 길이 수축이 일어나며, 관찰자의 시간보다 물체가 운동하는 좌표계의 시간이 더 느리게 가는 것으로 측정한다.

정답 맞히기 ㄱ. 광속 불변 원리에 의해 광원에서 발생한 빛의 속력은 철수가 측정할 때와 영희가 측정할 때가 같다.

오답피하기 ㄴ. 철수가 측정할 때, 광원에서 A까지의 거리는 길이 수축이 일어나지만, 광원에서 B까지의 거리는 길이 수축이 일어나지 않는다. 따라서 철수가 측정할 때, 광원에서 A까지의 거리는 광원에서 B까지의 거리보다 작다.

ㄷ. 광원에서 발생한 빛이 B에 도달할 때까지 빛이 이동한 거리는 영희가 측정할 때보다 철수가 측정할 때가 크다. 따라서 광원에서 발생한 빛이 B에 도달하는 데 걸린 시간은 철수가 측정할 때가 영희가 측정할 때보다 길다.

6   수소 원자에서 빛의 흡수와 방출

수소 원자 내 전자의 에너지 준위는 띄엄띄엄 분포하며, 전자가 전이할 때 두 에너지 준위의 차에 해당하는 빛을 흡수하거나 방출한다. a는 f_0을 흡수하는 과정, b, c는 각각 f_1, f_2를 방출하는 과정을 나타낸다.

이, 마루와 골이 만나는 지점에서 상쇄 간섭이 일어난다.

정답 맞히기 ㄱ. (나)에서 바닥상태에 있던 수소 원자가 흡수한 빛의 진동수가 f_0이고, 진동수가 f_1, f_2인 빛을 방출하여 바닥상태가 되었으므로 진동수는 $f_0 = f_1 + f_2$이다.

오답피하기 ㄴ. f_2를 방출하는 과정은 c이므로 $f_2 = \dfrac{E_2 - E_1}{h}$이다.

ㄷ. f_1을 방출하는 과정은 b이므로 바닥상태에 있던 수소 원자는 에너지가 hf_1인 빛을 흡수할 수 없다.

7 도선에 흐르는 전류에 의한 자기장

무한히 긴 직선 도선에 의한 자기장의 세기는 도선에 흐르는 전류의 세기에 비례하고 도선으로부터의 거리에 반비례한다. 원형 도선에 의한 원형 도선 중심에서의 자기장의 세기는 도선에 흐르는 전류의 세기에 비례하고 원형 도선의 반지름에 반비례한다.

정답 맞히기 ㄴ. 표에서 B와 C에 전류가 시계 반대 방향으로 흐를 때 B와 C에 흐르는 전류가 p에 만드는 자기장의 세기 합이 A에 흐르는 전류가 p에 만드는 자기장의 세기와 같다. 따라서 ㉠은 xy 평면에 수직으로 들어가는 방향이고, ㉡도 xy 평면에 수직으로 들어가는 방향이다.

오답피하기 ㄱ. p에서 A, B, C에 흐르는 전류에 의한 자기장의 세기를 각각 B_A, B_B, B_C라 하고, xy 평면에 수직으로 들어가는 자기장의 방향을 (+)이라고 한 후, 표에 있는 각각의 상황을 대입하면 다음과 같다.

$B_A - B_B - B_C = 0$

$B_A + B_B - B_C = B_0$

$B_A + B_B + B_C = 3B_0$

이를 연립하면 $B_A = \dfrac{3}{2}B_0$, $B_B = \dfrac{1}{2}B_0$, $B_C = B_0$이다.

ㄷ. $B_B = \dfrac{1}{2}B_0$, $B_C = B_0$이므로 p에서 C에 의한 자기장의 세기는 B에 의한 자기장의 세기의 2배이다.

8 강자성체

(나)에서 A가 움직이면 B가 움직이므로 동일한 물체 A, B는 외부 자기장을 제거해도 자기화된 상태를 유지하는 강자성체이다.

정답 맞히기 ㄱ. A와 B는 강자성체이므로 외부 자기장의 방향으로 자기화된다. 따라서 ㉠은 N극으로 자기화된다.

ㄴ. (나)에서 A를 움직이면 B가 고정된 솔레노이드에서 멀어지는 방향으로 움직이므로 솔레노이드와 B 사이에는 서로 밀어내는 방향으로 자기력이 작용한다. 솔레노이드의 왼쪽이 N극, 오른쪽이 S극이 되도록 유도 전류가 흐르므로 A는 고정된 솔레노이드에 가까워지는 방향으로 움직인다. 따라서 (나)에서 솔레노이드를 통과하는 A에 의한 자기 선속은 증가한다.

오답피하기 ㄷ. 솔레노이드에는 왼쪽이 N극, 오른쪽이 S극이 되도록 유도 전류가 흐른다. 따라서 솔레노이드에 흐르는 전류의 방향은 p → 저항 → q이다.

9 물결파의 간섭

물결파의 마루와 마루 또는 골과 골이 만나는 지점에서 보강 간섭이, 마루와 골이 만나는 지점에서 상쇄 간섭이 일어난다.

정답 맞히기 ㄱ. B와 C는 두 점파원 S_1, S_2로부터의 거리의 차, 즉 경로차가 모두 0이므로 보강 간섭이 일어나는 지점이다. 보강 간섭이 일어나는 지점에서는 물결파의 높이가 주기적으로 변한다.

ㄴ. A에서의 경로차는 $\Delta x = r_1 - (r_1 - 2\lambda) = 2\lambda$이다. 물결파의 진동수를 2배로 증가시키면 파장은 $\lambda_1 = \dfrac{\lambda}{2}$가 되므로, 새로운 경로차는 $\Delta x_1 = 2(2\lambda_1) = 8\left(\dfrac{\lambda_1}{2}\right)$이다. 따라서 새로운 경로차가 반파장의 짝수 배이므로 A에서는 보강 간섭이 일어난다.

ㄷ. D에서의 경로차는 $\Delta x = \left(r_2 - \dfrac{\lambda}{2}\right) - (r_2 - \lambda) = \dfrac{\lambda}{2}$이다. 경로차가 반파장의 홀수 배에 해당하므로 D에서는 상쇄 간섭이 일어난다.

10 드브로이의 물질파

운동량이 p인 입자의 드브로이 파장은 $\lambda = \dfrac{h}{p}$이다.

정답 맞히기 운동 에너지가 E이고 질량이 m인 입자의 운동량은 $\sqrt{2mE}$이다. A, B, C의 운동량의 비는 $\sqrt{2} : 1 : \sqrt{2}$이다. 드브로이 파장은 운동량의 크기에 반비례하므로 $\lambda_A : \lambda_B : \lambda_C = 1 : \sqrt{2} : 1$이다.

1 ⑤	2 ④	3 ④	4 ③	5 ②
6 ③	7 ⑤	8 ④	9 ①	10 ③

1 운동 법칙

가속도(a)는 물체에 작용하는 힘(F)에 비례하고 물체의 질량(m)에 반비례한다.

$$a = \frac{F}{m}, \quad F = ma$$

정답 맞히기 ㄴ. 힘을 2배 증가시키면 가속도의 크기도 2배 증가한다. 따라서 ⊙은 $2a$이다.

ㄷ. 수레의 가속도의 크기는 (다)에서가 (가)에서의 $\frac{1}{2}$배이다. 따라서 (다)에서 수레에 작용하는 알짜힘의 크기는 (가)에서의 $\frac{1}{2}$배인 $0.5F$이다.

오답피하기 ㄱ. 가속도의 크기가 (다)에서가 (나)에서의 $\frac{1}{4}$배이므로 전체 질량은 (다)에서가 (나)에서의 4배이다. 따라서 $M = 3m$이다.

2 등가속도 운동과 운동량

운동량–시간 그래프에서 기울기는 물체에 작용하는 알짜힘을 나타내고, 물체의 운동량은 질량과 속도의 곱으로 구한다.

정답 맞히기 ㄴ. 실이 끊어지기 전 가속도의 크기는 A와 B가 같고, A의 가속도의 크기는 실이 끊어진 후가 실이 끊어지기 전의 2배이다. 실이 A와 B를 당기는 힘의 크기를 T, 빗면과 나란하게 아래 방향으로 B에 작용하는 힘의 크기를 f, 실이 끊어지기 전 B의 가속도의 크기를 a라고 할 때, 실이 끊어지기 전과 후 A와 B에 각각 가속도 법칙을 적용하면,

A: 끊어지기 전 $F - T = m_A a$ ⋯①
  끊어진 후 $F = m_A(2a)$ ⋯②

B: 끊어지기 전 $T - f = m_B a$ ⋯③
  끊어진 후 $f = m_B a$ ⋯④

가 성립한다. 따라서 식 ①과 ②를 연립하면 $F = 2T$이고 식 ③과 ④를 연립하면 $T = 2f$이다. 실이 끊어진 후 B에는 f만 작용하고, 그래프에서 기울기는 B에 작용하는 알짜힘이므로 $f = 2$ N이다. 따라서 $T = 4$ N, $F = 8$ N이다.

식 ②에서 $m_A = \frac{F}{2a} = \frac{4f}{2a} = \frac{2f}{a}$이고, 식 ④에서 $m_B = \frac{f}{a}$이다. 그러므로 질량은 A가 B의 2배이다.

ㄷ. 실이 끊어지기 전 A와 B의 가속도의 크기는 같다. 질량은 A가 B의 2배이므로 2초일 때 A의 운동량의 크기는 B의 운동량의 크기의 2배이다. A가 받은 알짜힘은 실이 끊어진 후가 끊어지기 전의 2배이므로, 같은 시간 동안 실이 끊어진 후 운동량의 증가량은 실이 끊어지기 전 운동량의 증가량의 2배이다. 따라서 3초일 때 A의 운동량의 크기는 16 kg·m/s이다.

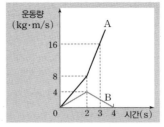

오답피하기 ㄱ. 물체의 운동량은 질량×속도로 나타내고, 속도의 방향은 물체의 운동량의 방향과 같다. 1초일 때와 3초일 때의 운동량이 (+)의 값을 가지므로 속도도 (+)의 값을 가진다. 따라서 B의 운동 방향은 1초일 때와 3초일 때가 같다.

3 열역학 과정

기체의 부피가 증가하는 등압 과정에서 기체가 흡수한 열량은 기체가 외부에 한 일과 기체의 내부 에너지 증가량의 합과 같고, 압력이 증가하는 등적 과정에서 기체가 흡수한 열량은 기체의 내부 에너지 증가량과 같다. 부피가 감소하는 단열 과정에서는 기체가 외부로부터 받은 일의 양은 기체의 내부 에너지 증가량과 같다.

정답 맞히기 ㄱ. A → B 과정에서 기체의 부피가 증가하므로 기체는 외부에 일을 한다.

ㄷ. C → D 과정은 단열 과정으로, 기체의 부피가 감소하므로 기체의 온도는 증가한다.

오답피하기 ㄴ. A → B 과정과 B → C 과정에서 기체가 흡수한 열량이 같으므로 기체의 내부 에너지 변화량은 외부에 일을 하지 않는 B → C 과정에서가 A → B 과정에서보다 크다.

4 일과 역학적 에너지

힘이 한 일은 힘–거리 그래프에서 그래프와 거리 축이 이루는 면적과 같다.

정답 맞히기 ㄱ. 중력에 의한 퍼텐셜 에너지는 $mgh = 5 \times 10 \times 1 = 50$(J) 증가한다.

ㄷ. 지면에서 0.5 m 높이까지 중력에 의한 퍼텐셜 에너지는 25 J 증가하고, 줄이 물체를 당기는 힘이 한 일은 30 J이다. 따라서 0.5 m에서 물체의 운동 에너지는 5 J이다. 그런데 0.5 m에서 1 m까지는 속력이 일정하므로, 운동 에너지도 5 J로 일정하다.

오답피하기 ㄴ. 0 m에서 0.5 m까지 줄이 물체를 당기는 힘이 한 일은 $60 \times 0.5 = 30$(J)이고, 0.5 m에서 1 m까지 줄이 물체를 당기는 힘이 한 일은 $50 \times 0.5 = 25$(J)이다. 따라서 지면에서 1 m까지 줄이 물체를 당기는 힘이 한 일은 $30 + 25 = 55$(J)이다.

5 특수 상대성 이론

특수 상대성 이론에서 일정한 속도로 운동하는 좌표계에서는 모든 물리 법칙은 동일하며, 광속은 광원이나 관찰자의 운동 상태에 관계없이 항상 일정하다.

정답 맞히기 ㄴ. P와 Q 사이의 고유 거리는 A가 측정했을 때이다. 따라서 B가 측정한 P와 Q 사이의 거리는 고유 거리인 L보다 작다.

정답 맞히기 ㄱ. 광속은 광원이나 관찰자의 운동 상태에 관계없이 c로 일정하다.

ㄷ. B가 측정했을 때, P와 Q 사이의 거리는 L_B, P에서 방출된 빛이 Q까지 도달하는 데 걸린 시간을 t라고 하면, $ct=L_B+0.6ct$에서 $t=\dfrac{5L_B}{2c}$이다. $L_B<L$이므로 B가 측정한 시간은 $\dfrac{5L}{2c}$보다 작다.

6　전류에 의한 자기장

직선 전류와 원형 전류에 의한 자기장의 세기는 전류의 세기에 비례한다. 자기장의 방향은 오른나사 법칙으로 찾는다.

정답 맞히기　ㄱ. (가)의 P에서 자기장은 0이다. A에 흐르는 전류에 의한 자기장의 방향은 xy 평면에서 수직으로 나오는 방향이므로 B에 흐르는 전류에 의한 자기장의 방향은 xy 평면에 수직으로 들어가는 방향이어야 한다. 따라서 B에 흐르는 전류의 방향은 시계 방향이다.

ㄴ. (나)의 P에서 자기장은 0이다. (나)에서 A, B에 흐르는 전류에 의한 자기장의 방향은 xy 평면에 수직으로 들어가는 방향으로 서로 같다. 따라서 C에 흐르는 전류의 방향은 $+y$ 방향이고, 전류의 세기는 I보다 크다.

오답피하기　ㄷ. P에서 A에 흐르는 전류에 의한 자기장의 세기를 B_0이라고 하면, B에 흐르는 전류에 의한 자기장의 세기도 B_0이다. 따라서 (나)의 P에서 자기장이 0이므로 C에 흐르는 전류에 의한 자기장의 세기는 $2B_0$이다.

7　유도 전류의 세기와 방향

코일 내부를 통과하는 자기 선속의 시간에 따른 변화율이 클수록 유도 전류의 세기가 증가하고, 유도 전류는 자기 선속의 변화를 방해하는 방향으로 흐른다.

정답 맞히기　ㄱ. 도선의 p의 위치가 $x=0.5L$에 있을 때 도선에 흐르는 유도 전류의 방향이 시계 방향이므로, 영역 Ⅰ의 자기장의 방향은 종이면에서 수직으로 나오는 방향이다.

ㄴ. 도선의 p의 위치가 $x=1.5L$에 있을 때 도선에 흐르는 유도 전류의 방향이 시계 반대 방향이고, 유도 전류의 세기가 $x=0.5L$에 있을 때의 3배이므로 단위 시간당 자기 선속의 변화가 3배가 되어야 한다. 따라서 영역 Ⅱ의 자기장의 방향은 종이면에 수직으로 들어가는 방향이고, 자기장의 세기는 $2B_0$이다.

ㄷ. 자기 선속의 변화는 도선의 p의 위치가 $x=2.5L$일 때가 위치가 $x=1.5L$일 때의 $\dfrac{2}{3}$배이므로, 도선에 흐르는 전류의 세기는 $2I_0$이다.

8　두 전하에 의한 전기력

전하량이 각각 q_1, q_2인 두 전하 사이의 거리가 r일 때 전하 사이의 전기력 $F=k\dfrac{q_1q_2}{r^2}$이다.

정답 맞히기　ㄱ. C에 작용하는 전기력이 0이므로 A와 B에 의한 전기력의 방향은 서로 반대이다. 따라서 A, B의 전하의 종류는 같다.

ㄷ. $x=d$인 위치에 $+q$ 대신 $-q$를 놓으면 A, B에 의한 전기력의 방향이 모두 반대로 바뀌지만 크기는 변하지 않는다. 따라서 $-q$가 받는 전기력의 크기는 0이다.

오답피하기　ㄴ. C가 정지해 있으려면 A에 의한 전기력과 B에 의한 전기력의 방향은 서로 반대이고, 크기가 같아야 한다. 전기력의 크기는 거리의 제곱에 반비례하고, 두 전하의 전하량의 곱에 비례하므로 거리가 3배 큰 B의 전하량이 A의 전하량의 9배이다. 따라서 $Q_A : Q_B=1 : 9$이다.

9　수면파의 간섭

두 파원에서 발생한 진동수와 진폭 및 위상이 같은 두 파동이 중첩될 때 두 파원으로부터 경로차가 0이거나 반파장의 짝수 배이면 보강 간섭이, 경로차가 반파장의 홀수 배이면 상쇄 간섭이 일어난다.

정답 맞히기　ㄱ. 진동수가 f, 파장이 λ인 파동의 속력은 $v=f\lambda$이다. 따라서 수면파의 진동수가 2 Hz, 속력이 4 cm/s일 때, 수면파의 파장은 2 cm이다.

오답피하기　ㄴ. 두 파원과 P 사이의 경로차는 4 cm이므로 P는 두 파원으로부터의 경로차가 반파장(1 cm)의 짝수 배인 지점이다. 따라서 P에서는 보강 간섭이 일어나 수면의 높이가 시간에 따라 주기적으로 변한다.

ㄷ. 상쇄 간섭이 일어나는 지점은 두 파원으로부터의 경로차가 반파장의 홀수 배인 지점이다. 따라서 상쇄 간섭이 일어나는 지점은 S_1로부터 0.5 cm, 1.5 cm, 2.5 cm, 3.5 cm, 4.5 cm, 5.5 cm, 6.5 cm, 7.5 cm인 지점으로 총 8개이다.

10　물질파

질량이 m, 운동량이 p, 운동 에너지가 E인 입자의 물질파 파장은 $\lambda=\dfrac{h}{p}=\dfrac{h}{\sqrt{2mE}}$이다.

정답 맞히기　ㄱ. $\lambda=\dfrac{h}{\sqrt{2mE}}$이고 A와 B의 물질파 파장이 λ_0으로 같을 때 A의 운동 에너지가 B의 운동 에너지의 2배이므로, 질량은 B가 A의 2배이다.

ㄷ. $\lambda=\dfrac{h}{mv}$에서 B의 속력이 작을수록 물질파 파장이 증가한다.

오답피하기　ㄴ. $\lambda_0=\dfrac{h}{\sqrt{2m(2E_0)}}$이므로 A의 운동 에너지가 E_0이면 A의 물질파 파장은 $\sqrt{2}\lambda_0$이다.

10회 미니모의고사

본문 40~43쪽

| 1 ③ | 2 ⑤ | 3 ⑤ | 4 ③ | 5 ⑤ |
| 6 ② | 7 ② | 8 ④ | 9 ⑤ | 10 ② |

1 운동 법칙

실이 B를 당기는 힘과 B에 작용하는 중력을 합성한 힘이 B에 작용하는 알짜힘이다.

정답 맞히기 2초일 때 B에 작용하는 알짜힘이 위쪽으로 2 N이므로 실이 물체를 당기는 힘의 크기는 22 N이다. 그런데 A에 작용하는 알짜힘이 오른쪽으로 3 N이므로 $F_{2초}=25$ N이다.

5초일 때 B에 작용하는 알짜힘이 아래쪽으로 4 N이므로 실이 물체를 당기는 힘의 크기는 16 N이다. 그런데 A에 작용하는 알짜힘이 왼쪽으로 6 N이므로 $F_{5초}=10$ N이다.

따라서 $\dfrac{F_{2초}}{F_{5초}}=\dfrac{25\ \text{N}}{10\ \text{N}}=\dfrac{5}{2}$이다.

2 운동량과 충격량

충격량(I)은 운동량의 변화량(Δp)과 같다.

$$I=\Delta p=mv-mv_0$$

정답 맞히기 ㄴ. B가 C로부터 받은 충격량의 크기가 $4mv$이므로, C가 B로부터 받은 충격량의 크기도 $4mv$이다. 따라서 B와 충돌 후 C의 운동량의 크기는 $4mv$이고 속력은 $2v$이다.

ㄷ. B에 가한 충격량의 크기는 A가 C의 2배이다. 그런데 힘을 작용한 시간이 A가 B의 3배이므로, 충격력의 크기는 A가 C의 $\dfrac{2}{3}$배이다.

오답피하기 ㄱ. B가 A로부터 받은 충격량의 크기가 $8mv$이므로, A가 B로부터 받은 충격량의 크기도 $8mv$이다.

3 역학적 에너지 보존

역학적 에너지가 보존될 때 중력 퍼텐셜 에너지의 감소량은 운동 에너지의 증가량과 같다.

정답 맞히기 ㄱ. 추가 낙하하는 동안 가속도의 크기가 $10\ \text{m/s}^2$인 등가속도 직선 운동을 하므로, 0초일 때 정지한 상태에서 0.2초 동안 높이의 변화를 h라고 하면 $h=\dfrac{1}{2}at^2=\dfrac{1}{2}\times10\ \text{m/s}^2\times(0.2\ \text{s})^2=0.2$ m이다. 따라서 0.2초일 때 높이는 $1.0\ \text{m}-0.2\ \text{m}=0.8$ m이다. ㉠은 0.8이다.

ㄴ. 지면에서 중력 퍼텐셜 에너지를 0이라고 하면, 0.4초일 때 운동 에너지는 1 m일 때 중력 퍼텐셜 에너지와 0.4초일 때 중력 퍼텐셜 에너지의 차에 해당한다. 따라서 0.4초일 때 운동 에너지는 0.8 m 높이에서의 중력 퍼텐셜 에너지이다. 0.2초일 때 운동 에너지는 1 m일 때 중력 퍼텐셜 에너지와 0.2초일 때 중력 퍼텐셜 에너지의 차에 해당한다. 따라서 0.2초일 때 운동 에너지는 0.2 m 높이에서의 중력 퍼텐셜 에너지이다. 그러므로 추의 운동 에너지는 0.4초일 때가 0.2초일 때의 4배이다.

ㄷ. 추가 낙하하는 동안 중력만 작용하므로 추의 역학적 에너지는 일정하다.

4 스털링 엔진

스털링 엔진은 고온부와 저온부의 온도차에 의해 작동되는 기관으로, 등적 과정과 등온 과정을 각각 2회씩 거치면서 1회 순환한다.

정답 맞히기 ㄱ. (가)는 등적 과정이므로 기체가 한 일은 0이고, (가)에서 기체가 흡수한 열량은 기체의 내부 에너지 증가량과 같다.

ㄴ. (나)는 등온 팽창 과정이므로, (나)에서는 기체가 열을 흡수하여 외부에 일을 한다.

오답피하기 ㄷ. (다)는 등적 과정으로 압력이 감소하므로, (다)에서 기체의 온도는 내려간다.

5 특수 상대성 이론

광속 불변 원리에 의하면 관찰자의 운동 상태에 관계없이 광속은 항상 일정하다. 또한 정지한 관찰자가 광속에 가까운 매우 빠른 속력으로 운동하는 물체를 측정할 때 물체는 운동 방향으로 길이 수축이 일어나며, 정지한 관찰자의 시간보다 물체가 운동하는 좌표계의 시간이 더 느리게 가는 것으로 측정된다.

정답 맞히기 ㄱ. B가 측정할 때, 시간 지연에 의해 A의 시간은 B의 시간보다 느리게 간다.

ㄴ. A가 측정할 때, 광원에서 발생한 빛이 P와 R에 동시에 도달하므로 광원으로부터 P까지의 거리와 광원으로부터 R까지의 거리는 고유 길이로 같다. 그러나 B가 측정할 때, 광원과 P 사이의 길이는 길이 수축이 일어나지만 광원과 R 사이의 길이는 길이 수축이 일어나지 않으므로, 광원과 P 사이의 거리는 광원과 R 사이의 거리보다 작다.

ㄷ. B가 측정할 때, 광원에서 발생한 빛이 P로 이동하는 동안 P는 광원에서 멀어지는 방향으로 이동하고, 광원에서 발생한 빛이 Q로 이동하는 동안 Q는 광원에 가까워지는 방향으로 이동하므로, 광원에서 발생한 빛이 P보다 Q에 먼저 도달한다.

6 전기력

두 점전하 사이에 작용하는 전기력의 크기는 두 점전하의 전하량의 곱에 비례하고, 점전하 사이의 거리의 제곱에 반비례한다. (가)에서 A, B가 C에 작용하는 전기력은 크기가 같고 방향이 반대이다.

정답 맞히기 ㄷ. (가)에서 A를 $-x$ 방향으로 이동시키면 A가 C에 작용하는 전기력의 크기가 감소하므로, 즉 A와 C 사이에 작용하는 서로 밀어내는 전기력이 감소하므로 C는 $-x$ 방향으로 움직인다.

오답피하기 ㄱ. (가)에서 A와 B가 C에 작용하는 전기력은 크기가 같고 방향이 반대이므로 A와 B는 전하의 종류가 다르다. (나)에서 A가 C에 작용하는 전기력의 크기는 B가 C에 작용하는 전기력의 크기보다 크다. 따라서 음($-$)전하인 C가 $+x$ 방향으로 움직이므로 A는 음($-$)전하이고, B는 양($+$)전하이다.

ㄴ. (가)에서 C에 작용하는 전기력은 0이다. 전기력의 크기는 전하량의 곱에 비례하고, 거리의 제곱에 반비례한다. 따라서 A와 C 사이의 거리가 B와 C 사이의 거리의 3배이므로, 전하량의 크기는 A가 B의 9배이다.

7 수면파의 간섭

R는 마루와 마루, P는 골과 골이 만나는 보강 간섭이 일어나는 지점이고, Q는 마루와 골이 만나는 상쇄 간섭이 일어나는 지점이다. S_1, S_2로부터 P까지와 R까지의 경로차는 각각 0이며, Q까지의 경로차는 $\frac{\lambda}{2}$이다.

정답 맞히기 ㄴ. S_1로부터 Q까지는 $\frac{3}{2}\lambda$이고 S_2로부터 Q까지는 λ이므로, $|\overline{S_1Q} - \overline{S_2Q}| = \frac{\lambda}{2}$이다.

오답피하기 ㄱ. R는 마루와 마루가 만나는 지점으로 수면의 높이가 가장 높고, P는 골과 골이 만나는 지점으로 수면의 높이가 가장 낮다. Q는 마루와 골이 만나는 지점으로 수면의 높이가 R보다 낮고 P보다 높다.

ㄷ. S_1과 S_2로부터 P까지는 각각 $\frac{3}{2}\lambda$이므로 $|\overline{S_1P} - \overline{S_2P}| = 0$이고, S_1과 S_2로부터 R까지는 각각 λ이므로 $|\overline{S_1R} - \overline{S_2R}| = 0$이다. 따라서 $|\overline{S_1P} - \overline{S_2P}| = |\overline{S_1R} - \overline{S_2R}|$이다.

8 파동의 진행 속력

매질의 진동 중심에서 이웃한 진동 중심까지의 거리는 반파장에 해당하며, 파동의 진행 속력은 $v = \frac{\lambda}{T} = f\lambda$이다.

정답 맞히기 ㄱ. (나)에서 0초부터 1.5초까지 매질의 변위가 낮아지고 있고, (가)에서 파동이 $+x$ 방향으로 진행하고 있으므로 (나)는 A의 그래프이다.

ㄷ. (가)에서 파장은 4 m이고 (나)에서 주기는 4초이므로, 파동의 진행 속력은 $\frac{4 \text{ m}}{4 \text{ s}} = 1 \text{ m/s}$이다.

오답피하기 ㄴ. (나)에서 매질의 변위가 -2 m일 때부터 다시 -2 m가 될 때까지 걸린 시간이 4초이므로, 파동의 주기는 4초이다.

9 직선 전류에 의한 자기장

직선 전류에 의한 자기장의 세기는 전류의 세기에 비례하고, 도선으로부터의 거리에 반비례한다.

정답 맞히기 ㄱ. $x = 4d$인 지점에서 A와 B에 의한 자기장이 0이므로, A와 B에 흐르는 전류의 방향은 서로 반대이다.

ㄴ. $x = 3d$인 지점에 도선 C를 고정시켰더니 $x = d$인 지점에서 A와 C에 의한 자기장은 0이므로, A와 C에 흐르는 전류의 방향은 서로 같다.

ㄷ. B에 흐르는 전류의 세기를 I라고 하면, A와 C에 흐르는 전류의 세기는 각각 $4I$, $8I$이므로, 전류의 세기는 C>A>B 순이다.

10 광전 효과

금속판에 비추는 빛의 진동수가 금속판의 문턱 진동수보다 커야 광전자가 방출되며, 방출되는 광전자의 수는 빛의 세기와 관계있고 광전자의 최대 운동 에너지는 빛의 진동수와 관계있다.

정답 맞히기 ㄴ. 광전자의 최대 운동 에너지는 비추는 빛의 진동수와 관계있다. 3초일 때는 광전자의 운동 에너지의 최댓값은 A의 진동수 f에 의해서 결정되며, 7초일 때는 광전자의 운동 에너지의 최댓값은 B의 진동수에 의해서 결정이 되므로, 7초일 때 B의 진동수가 3초일 때 A의 진동수보다 크다. 따라서 방출되는 광전자의 최대 운동 에너지는 7초일 때가 3초일 때보다 크다.

오답피하기 ㄱ. 0초일 때는 광전류가 흐르므로 금속판의 문턱 진동수는 f보다 작다.

ㄷ. 광전관의 금속판에 비추는 B의 세기가 일정하므로, 7초일 때 전류계에 흐르는 광전류의 세기는 I_1이다.

11회 미니모의고사
본문 44~46쪽

| 1 ① | 2 ③ | 3 ② | 4 ① | 5 ⑤ |
| 6 ② | 7 ⑤ | 8 ③ | 9 ④ | 10 ⑤ |

1 등속도 및 등가속도 직선 운동

B가 Q에서 R까지 이동하는 데 걸린 시간은 $\frac{300}{15}=20$(초)이다.

정답 맞히기 ㄱ. 20초 동안 500 m를 이동하므로 A의 평균 속도는 25 m/s이다. 따라서 P에서 A의 속도는 20 m/s이고 가속도의 크기는 $a=\frac{30-20}{20}=0.5(\text{m/s}^2)$이다.

오답피하기 ㄴ. $v^2-20^2=2\times0.5\times200$에서 Q를 통과하는 속력은 $v=10\sqrt{6}$ m/s이다.

ㄷ. A가 P를 통과한 후 10초 동안 이동한 거리가 $s=(20\times10)+\left(\frac{1}{2}\times0.5\times10^2\right)=225(\text{m})$이므로, Q를 통과하는 시간은 10초보다 짧다. 따라서 P에서 Q까지 걸린 시간이 Q에서 R까지 걸린 시간보다 작다.

2 충격량과 운동 에너지

충돌할 때 물체의 모양이 변형되거나 열이 발생하면 운동 에너지의 총합이 감소한다.

정답 맞히기 ㄱ. 충돌 전 A의 운동량의 크기는 $p=0.2\times6=1.2$ $(\text{kg}\cdot\text{m/s})$이다.

ㄴ. A가 B에 작용하는 힘과 B가 A에 작용하는 힘은 작용 반작용 관계이므로 항상 크기가 같다. 따라서 충돌하는 동안 A, B가 받은 충격량의 크기는 같다.

오답피하기 ㄷ. 감소한 A의 운동 에너지는 $\frac{1}{2}\times0.2\times(6^2-2^2)$ $=3.2(\text{J})$이고, 증가한 B의 운동 에너지는 $\frac{1}{2}\times0.2\times4^2=1.6(\text{J})$ 이다.

3 마찰에 의한 역학적 에너지의 손실

수평면과 물체 사이의 마찰에 의해 용수철의 탄성 퍼텐셜 에너지가 감소한다.

정답 맞히기 물체를 놓는 순간부터 용수철이 압축되어 처음으로 물체의 속력이 0이 될 때까지 마찰에 의해 용수철의 길이가 $10L$만큼 압축되지 못하고, 그림과 같이 $x=-10L$로부터 d만큼 떨어진 지점에서 물체의 속력이 0이 되었다고 가정하고 에너지와 일의 관계를 적용하면,

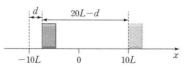

$\frac{1}{2}k(10L)^2=\frac{1}{2}k(10L-d)^2+(20L-d)f$의 관계가 성립한다. 이를 정리하면 $d=\frac{2f}{k}$이다.

즉, 용수철이 압축되거나 팽창할 때마다 진폭이 $d=\frac{2f}{k}$만큼 감소한다. 따라서 물체를 놓은 순간부터 처음 압축하고 다시 팽창해서 두 번째로 물체의 속력이 0이 될 때까지 진폭은 $\frac{4f}{k}$만큼 감소했고, 표를 통해 이것은 $8L$임을 알 수 있다. 따라서 $f=2kL$이다.

다른 풀이 용수철이 압축되는 동안 항상 마찰력이 오른쪽으로 f의 크기로 작용하므로 중력장 내에서 연직 방향으로 진동하는 용수철처럼 $kx=f$가 되는 x가 진동의 중심이 된다. 따라서 $x=\frac{f}{k}$이고, 처음 압축하며 $\frac{2f}{k}$만큼 진폭이 감소한다.

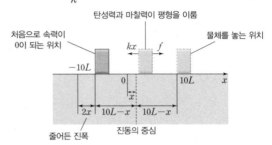

따라서 두 번째로 물체의 속력이 0이 될 때까지 진폭은 $\frac{4f}{k}$만큼 감소했고, 표를 통해 이것은 $8L$임을 알 수 있다. 따라서 $f=2kL$이다.

4 열역학 법칙

위쪽 피스톤에 질량이 일정한 추가 놓여 있으므로 (가) → (나) 과정에서 A의 압력은 일정하게 유지된다.

정답 맞히기 ㄱ. (가) → (나) 과정에서 B가 외부로부터 일을 받아 B의 온도가 높아지고 열평형에 도달하기 위해 B의 열이 A로 이동한다. 따라서 A의 온도는 상승한다.

오답피하기 ㄴ. (나)에서 A와 B의 온도가 같은데, 부피는 B가 A보다 작으므로 압력은 B가 A보다 크다.

ㄷ. (가) → (나) 과정에서 A는 압력이 일정한 상태로 온도가 상승하므로 A의 부피는 증가해야 한다. 따라서 (가) → (나) 과정에서 A는 외부에 일을 한다. 즉, (가) → (나) 과정에서 B가 받은 일은 A와 B의 내부 에너지 증가량과 A가 외부에 한 일의 합과 같다.

5 핵반응

핵반응 과정에서 질량수와 전하량은 보존되고, 질량은 감소한다.

정답 맞히기 ㄱ. X는 질량수가 2인 $^2_1$H 2개가 융합해 만들어진 원자핵이므로 $^4_2$He이다. 따라서 X의 질량수는 4이다.

ㄴ. 핵반응 과정에서 전하량은 보존된다.

ㄷ. 핵반응 과정에서 질량수 보존과 전하량 보존을 적용하면, Y는 $^2_1$H이다. 한편 (가)에서가 (나)에서보다 질량 결손에 의한 에너지가 더 크므로 $2M_3-M_1>M_2+M_3-2M_1$이다. 따라서 이를 정리하면 $M_3>M_2-M_1$이다.

6 빛의 굴절

빛이 굴절률이 작은 매질에서 굴절률이 큰 매질로 입사하는 경우

굴절각은 입사각보다 작다. 매질 A에서 B로 파동이 진행하는 경우 매질의 굴절률을 각각 n_A, n_B라 하고, 입사각과 굴절각을 각각 i, r라고 할 때, $n_A\sin i = n_B\sin r$의 관계가 성립한다.

정답 맞히기 ㄴ. 전반사는 입사각이 임계각보다 클 때 일어난다. B와 C의 경계면에서의 입사각은 전반사가 나타난 (가)에서가 (나)에서보다 크다. B와 C의 경계면에서 입사각은 A와 B의 경계면에서의 굴절각과 같다. 스넬 법칙을 적용하면 굴절률이 일정한 두 매질의 경계면에서 입사각이 증가하면 굴절각이 증가한다. 따라서 i_1이 i_2보다 크다.

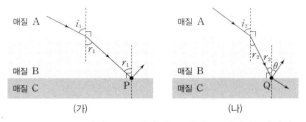

(가)   (나)

오답피하기 ㄱ. A에서 B로 진행하는 빛의 굴절각이 입사각보다 작으므로 굴절률은 B가 A보다 크다. B와 C의 경계면에서 전반사가 일어나므로 굴절률은 B가 C보다 크다. 따라서 매질의 굴절률은 B가 가장 크다.

ㄷ. (나)에서 i_2가 증가하면 r_2가 증가한다. B와 C의 경계면에서 입사각과 반사각은 같으므로 i_2가 증가하면 θ도 증가한다.

7 다이오드

저항에 전류가 흐르지 않을 때 저항의 양단에 걸리는 전압은 0이다. 다이오드는 순방향 전압일 때 전류가 흐르고, 역방향 전압일 때 전류가 흐르지 않는다.

정답 맞히기 ㄱ, ㄴ. 스위치를 a에 연결했을 때 저항 양단에 걸리는 전압이 0이므로 다이오드에는 전류가 흐르지 않는다. 즉, 스위치를 a에 연결했을 때 다이오드에는 역방향 전압이 걸린다. X는 전원의 (+)극에 연결되어 있으므로 X는 n형 반도체이다.

ㄷ. 스위치를 b에 연결했을 때 저항 양단에 걸리는 전압이 있으므로 다이오드에는 전류가 흐른다. 즉, 다이오드에는 순방향 전압이 걸린다. 다이오드의 Y는 전원의 (+)극에 연결되어 있으므로 Y는 주로 양공이 전류를 흐르게 하는 p형 반도체이다.

8 유도 전류의 세기와 방향

사각형 코일이 균일한 자기장 영역을 일정한 속력으로 통과할 때는 자기장 영역에 들어가는 동안과 나오는 동안에만 자기 선속의 변화가 있어서 유도 전류가 흐른다.

정답 맞히기 ㄱ. C에서는 자기 선속의 변화가 없으므로 코일에 전류가 흐르지 않는다.

ㄷ. 자기장 영역 Ⅰ과 Ⅱ의 자기장의 방향이 서로 같으므로, D에서는 코일에 시계 반대 방향으로 유도 전류가 흐른다.

오답피하기 ㄴ. B와 D에서 코일에 흐르는 유도 전류의 세기가 같으므로, 단위 시간당 자기 선속의 변화가 같다. 따라서 자기장 영역 Ⅰ과 Ⅱ의 자기장의 방향은 서로 같다.

9 쿨롱 법칙

전기력의 크기는 전하량의 곱에 비례하고 거리의 제곱에 반비례한다. 그리고 전기장의 방향은 양(+)전하에 작용하는 전기력의 방향이다.

정답 맞히기 ㄱ. A가 B에 작용하는 전기력의 방향은 $-x$ 방향이고, C가 B에 작용하는 전기력의 방향은 $+x$ 방향이다. C가 B에 작용하는 전기력의 크기가 A가 B에 작용하는 전기력의 크기보다 크므로, B에 작용하는 전기력의 방향은 $+x$ 방향이다.

ㄴ. $x=0$에 놓인 음(−)전하인 B에 작용하는 전기력의 방향이 $+x$ 방향이므로, $x=0$에서 A와 C에 의한 전기장의 방향은 $-x$ 방향이다.

오답피하기 ㄷ. A와 C 사이에 작용하는 전기력의 크기는 서로 같지만, B가 C에 작용하는 전기력의 크기가 B가 A에 작용하는 전기력의 크기보다 크다. 따라서 C에 작용하는 전기력의 크기가 A에 작용하는 전기력의 크기보다 크다.

10 투과 전자 현미경(TEM)과 주사 전자 현미경(SEM)

투과 전자 현미경은 평면 영상을 관찰할 수 있고, 주사 전자 현미경은 3차원적인 구조를 볼 수 있다.

정답 맞히기 ㄱ. (다)는 시료의 평면 영상을 관찰한 것이므로 투과 전자 현미경(TEM)으로 관찰한 것이다. 따라서 (다)는 (가)를 사용하여 관찰한 영상이다.

ㄴ. (가)는 전자선이 시료를 통과해야 하므로 시료를 얇게 만들어야 하는 대신 주사 전자 현미경(SEM)보다 구현할 수 있는 최고 배율이 10배 정도 높다. (나)는 주사 전자 현미경(SEM)으로, 전자선을 시료의 전체 표면에 차례로 쪼일 때 시료에서 튀어나오는 전자를 측정하여 시료 표면의 3차원적인 구조를 볼 수 있지만, 투과 전자 현미경보다 구현할 수 있는 최고 배율은 $\frac{1}{10}$배 정도로 낮다.

ㄷ. 전자 현미경은 전자의 드브로이 파장을 이용한 것으로, 전자의 드브로이 파장은 광학 현미경에 사용하는 가시광선의 파장보다 매우 짧아 가시광선보다 회절이 잘 일어나지 않으므로, 광학 현미경보다 훨씬 큰 배율로 물체를 관찰할 수 있다.

12회 **미니모의고사** 본문 47~50쪽

| 1 ⑤ | 2 ④ | 3 ① | 4 ② | 5 ③ |
| 6 ③ | 7 ⑤ | 8 ① | 9 ① | 10 ③ |

1 등가속도 직선 운동

등가속도 직선 운동의 평균 속도는 처음 속도와 나중 속도의 중간 값과 같다.

정답 맞히기 ㄴ. 공의 처음 속도가 20 m/s이므로 정지할 때까지 평균 속도가 10 m/s이다. 그런데 이동 거리가 50 m이므로 정지할 때까지 걸린 시간은 5초이다.

ㄷ. 공이 중앙선을 통과하는 속력을 v라고 하면, $v^2-20^2=2\times(-4)\times20$에서 $v^2=240$이다. 따라서 공이 중앙선을 통과하는 속력은 $v=4\sqrt{15}$ m/s이다.

오답 피하기 ㄱ. 5초 동안 속도가 20 m/s만큼 감소한다. 따라서 가속도의 크기는 4 m/s²이다.

2 운동량과 충격량

물체가 받은 충격량의 크기는 물체의 충돌 전후의 운동량 변화량의 크기와 같다.

정답 맞히기

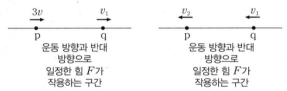

[A가 p에서 q로 운동할 때] [A가 q에서 p로 운동할 때]

A가 q를 지날 때 속력을 v_1이라고 하면, A가 p에서 q까지 운동하는 동안 걸린 시간이 T_1이고 물체에 작용한 힘의 크기는 F이므로 이 동안 A가 받은 충격량의 크기는 $F(T_1)=2m(3v)-2mv_1$ ⋯①이다.

A는 q를 통과한 후 경사면에 올라간 뒤 내려와 q를 v_1의 속력으로 통과하고, p를 지날 때 속력을 v_2라고 하면, A가 q에서 p까지 운동하는 동안 A가 받은 충격량의 크기는 $F(T_2)=2mv_1-2mv_2$ ⋯②이다.

A가 수평면에 정지해 있던 B와 충돌하고 정지하였고, 이 과정에서 A가 받은 충격량의 크기는 $2mv$이므로 $2mv_2-0=2mv$ ⋯③에서 $v_2=v$이다. 식 ②−①은 $F(T_2-T_1)=4mv_1-8mv$ ⋯④이다. A가 F로부터 받은 일은 A의 운동 에너지 변화량과 같다. p에서 q까지의 거리를 x라고 하면, A가 p에서 q까지 운동할 때는 $Fx=\frac{1}{2}(2m)(9v^2)-\frac{1}{2}(2m)v_1^2$ ⋯⑤이고, A가 q에서 p까지 운동할 때는 $Fx=\frac{1}{2}(2m)v_1^2-\frac{1}{2}(2m)v^2$ ⋯⑥이다. 식 ⑤+⑥에서 $Fx=4mv^2$ ⋯⑦이고, 식 ⑦을 ⑤에 대입하여 정리하면, $mv_1^2=5mv^2$에서 $v_1=\sqrt{5}v$이다. 따라서 $T_2-T_1=\frac{4m}{F}(v_1-2v)$ $=\frac{4mv}{F}(\sqrt{5}-2)$이다.

3 고체의 에너지띠

원자가 띠와 전도띠 사이의 에너지 간격인 띠 간격이 작을수록 전기 전도성이 크다. 절연체는 띠 간격이 크고, 도체는 원자가 띠의 일부가 전자로 채워져 있다. A는 절연체, B는 반도체, C는 도체이다.

정답 맞히기 ㄱ. 띠 간격은 B가 A보다 작으므로 전기 전도성은 B가 A보다 크다.

오답 피하기 ㄴ. C는 원자가 띠의 일부가 비어 있는 상태이므로 약간의 에너지만 흡수하여 전자가 여러 원자 사이를 쉽게 이동할 수 있어 전류가 잘 흐른다. 따라서 C는 도체이다.

ㄷ. A의 띠 간격은 5.33 eV이므로 원자가 띠에 있는 전자가 전도띠로 전이하려면 5.33 eV 이상의 에너지를 흡수해야 한다. 따라서 A의 원자가 띠에 있는 전자는 광자 1개의 에너지가 4 eV인 빛을 흡수할 수 없다.

4 열역학 과정

A와 B가 각각 외부에 한 일은 추의 역학적 에너지 증가량과 같다.

정답 맞히기 ㄴ. 기체가 외부에 한 일만큼 추의 역학적 에너지가 증가한다. (가)와 (나)에서 추의 역학적 에너지 증가량이 mgh로 같기 때문에 A가 외부에 한 일과 B가 외부에 한 일은 같다.

오답 피하기 ㄱ. A와 B가 외부에 한 일은 mgh로 서로 같다. 그런데 이 과정에서 A의 부피 변화가 B의 부피 변화의 2배이므로, 압력은 B가 A의 2배이다.

ㄷ. 기체가 열량 Q를 공급받아 외부에 일을 하지만, 기체의 내부 에너지도 증가하므로 Q는 mgh보다 크다.

5 일과 역학적 에너지

힘−거리 그래프에서 그래프와 거리 축이 이루는 면적은 힘이 한 일과 같다.

정답 맞히기 ㄱ. 0 m에서 3 m까지 F가 A를 당기는 힘이 한 일은 $W=15\times3=45$(J)이다.

ㄴ. A를 당기는 힘이 한 일은 A, B 전체의 역학적 에너지 증가량과 같다. 그런데 0 m에서 3 m까지 증가한 B의 중력 퍼텐셜 에너지가 $mgh=1\times10\times3=30$(J)이므로, A, B의 운동 에너지 증가량은 15 J이다. 따라서 0 m에서 3 m까지 증가한 A의 운동 에너지는 $15\times\frac{4}{5}=12$(J)이다.

오답 피하기 ㄷ. 중력은 역학적 에너지를 변화시키지 않으므로, 실이 B를 당기는 힘이 한 일이 B의 역학적 에너지 변화량과 같다. 그런데 3 m에서 6 m까지 실이 B를 당기는 힘의 방향이 운동 방향과 같은 위쪽이다. 따라서 B의 역학적 에너지는 증가한다.

6 특수 상대성 이론

A를 기준으로 할 때는 B가 오른쪽으로 등속도 운동을 하지만, B를 기준으로 할 때는 P, Q, 광원, A가 모두 왼쪽으로 등속도 운동을 한다.

정답 맞히기 ㄱ. A가 측정할 때 광원에서 방출된 빛이 P, Q에 동시에 도달하므로 광원에서 P까지의 거리와 Q까지의 거리는 같다.

B가 측정할 때, 광속 불변 원리에 의하면 P와 Q로 진행하는 빛의 속력은 같지만, P, Q가 왼쪽으로 운동하고 있으므로 빛은 Q에 먼저 도달한다.

ㄴ. B를 기준으로 할 때 P, Q가 왼쪽으로 등속도 운동을 하므로, B가 측정한 P, Q 사이의 거리는 A가 측정한 길이(고유 길이) L 보다 짧다.

오답피하기 ㄷ. B가 측정할 때, 운동하는 A의 시간이 자신의 시간보다 느리게 간다.

7 전자기 유도

코일 내부를 통과하는 자기 선속이 변할 때 자기 선속의 변화를 방해하는 방향으로 유도 전류가 발생한다.

정답 맞히기 ㄴ. P의 이동 거리가 $0.5d$일 때 유도 전류의 방향은 시계 방향이므로, 이때 P를 통과하는 자기 선속은 xy 평면에서 수직으로 나오는 방향으로 증가하고 있다. 따라서 자기장의 세기는 Ⅰ에서가 Ⅱ에서보다 작다.

ㄷ. Ⅳ에서 자기장은 xy 평면에 수직으로 들어가는 방향으로 세기는 $2B$이므로, P를 통과하는 단위 시간당 자기 선속의 변화율의 크기는 P의 이동 거리가 $0.5d$일 때와 $2.5d$일 때가 서로 같다. 따라서 ㉠은 I_0이다.

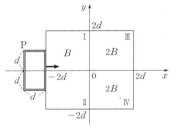

오답피하기 ㄱ. P의 이동 거리가 $4.5d$일 때 P에는 유도 전류가 흐르지 않았으므로, 이때 P를 통과하는 단위 시간당 자기 선속의 변화율은 0이다. 따라서 자기장의 방향은 Ⅲ에서와 Ⅳ에서가 서로 반대이고, 세기는 Ⅲ에서와 Ⅳ에서가 같다. 즉, Ⅳ에서 자기장의 세기는 $2B$이고, 방향은 xy 평면에 수직으로 들어가는 방향이다.

8 전류에 의한 자기장

도선에 흐르는 전류에 의해 도선 주변에는 자기장이 생기는데, 이때 자기장의 방향은 오른나사 법칙으로 구할 수 있다.

정답 맞히기 ㄱ. A와 C에 흐르는 전류의 세기가 같으므로 A와 C에 같은 방향으로 전류가 흐르면 p에서 A와 C의 전류에 의한 자기장은 0이다. 즉, A와 C에 $+y$ 방향으로 전류가 흐를 때 p에서 A, B, C의 전류에 의한 자기장은 B의 전류에 의한 자기장과 같다. B의 전류는 p에 세기가 $3B_0$이고 방향은 xy 평면에서 수직으로 나오는 방향의 자기장을 형성한다. 따라서 B에 흐르는 전류의 방향은 시계 반대 방향이다.

오답피하기 ㄴ. A와 C에 각각 $-y$, $+y$ 방향으로 전류가 흐를 때 A와 C의 전류는 p에서 각각 xy 평면에서 수직으로 나오는 방향의 자기장을 형성한다. 즉, B의 전류가 p에 형성하는 자기장이 xy 평면에서 수직으로 나오는 방향으로 $3B_0$이고, p에서 A, B, C의 전류에 의한 자기장의 세기가 $8B_0$임을 감안하면, A와 C가 각

각 p에 형성하는 자기장의 세기는 $2.5B_0$임을 알 수 있다.
A와 C에 각각 $+y$, $-y$ 방향으로 전류가 흐를 때 A와 C의 전류는 p에서 각각 xy 평면에 수직으로 들어가는 방향의 자기장을 형성하므로 A, B, C의 전류에 의한 p에서의 자기장의 세기는 $5B_0-3B_0=2B_0$이다. 즉, ㉠은 $2B_0$이다.

ㄷ. ㉡은 xy 평면에 수직으로 들어가는 방향이고, ㉢은 xy 평면에서 수직으로 나오는 방향이다.

9 수면파의 간섭

수면파의 마루와 마루 또는 골과 골이 만나는 지점에서는 보강 간섭이, 마루와 골이 만나는 지점에서는 상쇄 간섭이 일어난다.

정답 맞히기 ① S_1, S_2 사이의 거리가 0.2 m이므로 파장은 0.1 m 이고, 진행 속력이 0.1 m/s이므로 이 수면파의 주기는 1초이다.
두 수면파를 같은 위상으로 발생시켰을 때, P에서는 마루와 골이 만나므로 상쇄 간섭이, Q에서는 골과 골이 만나므로 보강 간섭이 일어난다. 두 수면파의 위상이 반대가 되도록 수면파를 발생시키면, P에서는 보강 간섭이 일어나 변위가 주기적으로 변하고, Q에서는 상쇄 간섭이 일어나므로 진동하지 않는다. 따라서 P와 Q에서의 시간에 따른 수면파의 변위는 다음과 같다.

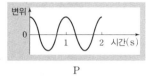

P

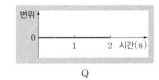

Q

10 광전자의 최대 운동 에너지

금속판에서 광전자가 방출되기 위해서는 빛의 진동수가 금속판의 문턱 진동수보다 커야 한다.

정답 맞히기 ㄷ. 금속판의 문턱 진동수가 f_0이므로 금속판에 a, b, c를 비출 때 모두 전류계에는 전류가 흐른다. 빛의 세기가 셀수록 전류의 세기가 커지므로 전류계에 흐르는 전류의 세기는 b를 비출 때가 a를 비출 때보다 크다.

오답피하기 ㄱ. 광자 1개의 에너지는 단색광의 진동수에 비례한다. 단색광의 진동수는 a와 b가 같으므로 광자 1개의 에너지는 a와 b가 같다.

ㄴ. 단색광의 에너지가 클수록 광전자의 최대 운동 에너지는 크다. 단색광의 에너지는 c가 a보다 크므로 금속판에서 방출되는 광전자의 최대 운동 에너지는 a를 비출 때가 c를 비출 때보다 작다.

13회 미니모의고사
본문 51~54쪽

1 ⑤	**2** ⑤	**3** ④	**4** ③	**5** ④
6 ⑤	**7** ③	**8** ③	**9** ①	**10** ⑤

1 중력장에서의 운동

지표면 근처에서 중력만 작용하여 운동하는 물체는 등가속도 운동을 한다.

정답 맞히기 ㄴ. B가 가만히 놓은 사과는 중력에 의해서만 낙하하므로 가속도가 중력 가속도로 일정한 등가속도 직선 운동을 한다.

ㄷ. A가 사과를 던지는 위치를 기준으로 하고 연직 아래 방향을 $(+)$ 방향으로 하면, t초 때 A가 던진 사과와 B가 가만히 놓은 사과의 위치 s_A, s_B는 $s_A = 1 \times t + \frac{1}{2} \times 10 \times t^2$, $s_B = 1 + \frac{1}{2} \times 10 \times t^2$이다. 따라서 두 사과의 거리 차는 $s_B - s_A = 1 - t$가 되어 시간 t가 지날수록 거리 차는 점점 감소한다.

오답피하기 ㄱ. A가 던진 사과는 처음 속도가 1 m/s이고, 가속도가 10 m/s²인 등가속도 직선 운동을 하여 4 m를 이동한다. 따라서 사과가 지면에 도달하는 시간 t는 $4 = 1 \times t + \frac{1}{2} \times 10 \times t^2$에서 $t = 0.8$초이다.

2 운동량과 충격량

질량 m인 물체가 속도 v_0으로 운동할 때 일정한 크기의 힘 F가 시간 t 동안 운동 방향으로 작용하여 물체의 속도가 v로 변한 경우 $F = ma = \frac{mv - mv_0}{t}$이므로, 충격량은 $I = Ft = mv - mv_0$으로 나타낼 수 있다. 즉, 물체가 받은 충격량은 물체의 운동량 변화량과 같다.

정답 맞히기 ㄱ. (나)에서 p_0은 빗면을 내려온 A의 운동량의 크기이다. 빗면의 높이가 h일 때, 수평면에서 A의 속도의 크기는 $v = \sqrt{2gh}$이다. 따라서 운동량 $p_0 = mv = m\sqrt{2gh}$이므로 p_0은 $\sqrt{h}$에 비례한다.

ㄴ. A의 운동량 변화량의 크기는 B가 받은 충격량의 크기와 같다. 따라서 $0.6p_0$이다.

ㄷ. 충격량=힘×시간=운동량의 변화량이므로, 충돌 과정에서 평균 힘의 크기는 $\frac{\text{운동량 변화량의 크기}}{\text{충돌 시간}}$가 된다. 따라서 B가 받는 평균 힘의 크기는 $\frac{0.6p_0 - 0}{T_0}$이다.

3 역학적 에너지 보존과 가속도 법칙

A와 B가 실로 연결되어 함께 운동할 때 A, B의 운동 에너지 증가량의 합은 B의 중력 퍼텐셜 에너지 감소량과 같다.

정답 맞히기 ㄱ. A와 B의 질량을 각각 m_A, m_B라 하고 A가 s만큼 이동한 순간 속력을 v라고 하면, A가 s만큼 이동하는 동안 B의 중력 퍼텐셜 에너지 감소량은 A의 운동 에너지 증가량의 4배이므로 $m_B gs = 4 \times \frac{1}{2} m_A v^2$이다. A가 s만큼 이동하는 동안 B의 중력 퍼텐셜 에너지 감소량은 A와 B의 운동 에너지의 합과 같으므로,

$m_B gs = \frac{1}{2} m_A v^2 + \frac{1}{2} m_B v^2$이 되어 $3 \times \frac{1}{2} m_A v^2 = \frac{1}{2} m_B v^2$이다. 따라서 $m_A : m_B = 1 : 3$이다.

ㄷ. 역학적 에너지 보존 법칙을 적용하면 B의 역학적 에너지 감소량은 A의 운동 에너지 증가량과 같다.

오답피하기 ㄴ. A와 B를 한 덩어리로 생각하여 운동 방정식을 적용하면, $m_B g = (m_A + m_B)a = \frac{4}{3} m_B a$이다. 따라서 A의 가속도의 크기는 $a = \frac{3}{4}g$이다.

4 특수 상대성 이론

정지한 관측자가 빠르게 운동하는 상대를 보면 상대편의 시간이 느리게 가고, 길이는 짧게 수축되며, 질량은 더 증가하는 것으로 관측된다.

정답 맞히기 ㄱ. 특수 상대성 이론에 의하면 빛의 속력에 가깝게 운동하는 좌표계 내의 시간을 외부의 정지한 좌표계에서 측정하면 정지한 좌표계에서보다 느리게 간다. 영희가 측정할 때 철수는 $0.9c$의 속력으로 운동하고 있으므로, 철수의 시간은 자신의 시간보다 느리게 간다.

ㄴ. 철수가 측정할 때, P에서부터 A까지의 거리는 우주선의 운동 방향에 수직이므로 길이 수축이 일어나지 않는다. 따라서 영희가 측정할 때 L은 P에서부터 A까지의 고유 길이에 해당한다. 빛의 속력은 좌표계에 관계없이 c로 일정하므로, 영희가 측정할 때 P에서 출발한 빛이 A에 도달하는 데 걸린 시간은 $\frac{L}{c}$이다.

오답피하기 ㄷ. 철수가 측정할 때, P에서부터 B까지의 거리는 우주선의 운동 방향과 나란하므로 길이 수축이 일어난다. 따라서 길이 수축이 일어난 L은 P에서부터 B까지의 고유 길이보다 짧으므로, 영희가 측정할 때 P에서 출발한 빛이 B에 도달할 때까지 빛이 이동한 거리는 L보다 길다.

5 전기력

C에 작용하는 전기력이 0이 되기 위해서는 A, B로부터 크기가 같고 방향이 반대인 전기력이 작용해야 한다. 따라서 (가)에서 A와 B의 전하량이 같다.

정답 맞히기 ㄴ. $q_2 > q_1$에서 $q_2 > \frac{q_1 + q_2}{2}$이므로 C의 전하량의 크기는 (가)에서가 (나)에서보다 크다.

ㄷ. B와 C의 전하의 종류가 (가)와 (나)에서 모두 같으므로 항상 밀어내는 방향의 전기력이 작용한다. 따라서 B가 C에 작용하는 전기력의 방향은 (가)와 (나)에서 같다.

오답피하기 ㄱ. (가)에서 C에 작용하는 전기력이 0이므로 A와 B는 전하량의 크기와 전하의 종류가 같다. 따라서 (가), (나)에서 A와 C, B와 C 사이에는 항상 밀어내는 전기력이 작용한다. A, C의 전하량의 크기를 q_1, q_2, A, C 사이의 거리를 r라고 하면, (나)에서 A, C의 전하량은 $\frac{q_1 + q_2}{2}$이므로 A, B가 C에 작용하는 전기력의 크기는 각각 $\frac{k}{r^2}\left(\frac{q_1 + q_2}{2}\right)^2$, $\frac{k}{r^2}\left(\frac{q_1 + q_2}{2}\right)q_1$이고, 합력의 방

향이 오른쪽이므로 $\dfrac{q_1+q_2}{2}>q_1$에서 $q_2>q_1$이다. 따라서 (가)에서 전하량의 크기는 C가 B보다 크다.

6 강자성체와 상자성체

강자성체와 상자성체는 외부 자기장의 방향으로 자기화되며, 외부 자기장을 제거하면 강자성체는 자기화된 상태를 유지하지만 상자성체는 자기화된 상태가 없어진다.

정답 맞히기 ㄴ. (가)에서 강자성 막대는 스위치를 p에 연결해도 자기화된 상태를 유지한다. 강자성 막대를 왼쪽으로 빼내는 경우, 솔레노이드 내부를 통과하는 자기 선속이 감소하게 된다. 따라서 유도 전류는 자기 선속의 변화를 방해하는 방향으로 흐르게 되므로 a → p → b 방향으로 전류가 흐른다.

ㄷ. 스위치를 p에 연결하면 강자성 막대는 자기화된 상태를 유지하지만, 상자성 막대는 자기화된 상태가 없어지므로 O에서 자기장의 세기는 (가)에서가 (나)에서보다 크다.

오답피하기 ㄱ. 솔레노이드에 흐르는 전류에 의한 자기장의 방향이 (가)와 (나)에서 솔레노이드 내부에서 왼쪽 방향이므로 강자성 막대와 상자성 막대의 A쪽은 모두 N극으로 자기화된다.

7 광전 효과와 전기력

두 개의 금속구 중 하나의 금속구에서만 광전 효과가 일어나면 A와 B는 서로 당기는 전기력이, 두 개의 금속구에서 모두 광전 효과가 일어나면 A와 B는 서로 밀어내는 전기력이 작용한다.

정답 맞히기 ㄱ. 진동수가 f_1인 빛을 비출 때 A와 B가 서로 당기는 전기력이 작용하므로 문턱 진동수가 작은 A에서만 광전 효과가 일어난다. 따라서 A의 문턱 진동수는 f_1보다 작다.

ㄴ. 진동수가 f_2인 빛을 비출 때 A와 B가 서로 밀어내는 전기력이 작용하므로 A, B에서 광전 효과가 모두 일어난다. 따라서 f_2는 f_1보다 크다.

오답피하기 ㄷ. 진동수가 f_1인 빛의 세기를 증가시켜도 B에서는 광전 효과가 일어나지 않는다. 따라서 A에 작용하는 전기력의 방향은 변하지 않는다.

8 패러데이 전자기 유도 현상

코일의 자기 선속이 변하면 코일에는 유도 전류가 흐르게 된다. 이 때 유도 전류는 유도 전류에 의한 자기장이 자기 선속의 변화를 방해하는 방향이 되도록 흐르게 된다. 즉, 코일과 자석이 상대적인 운동을 할 경우 코일에는 유도 전류가 흐르게 되는데, 이 유도 전류에 의해 코일과 자석 사이에는 둘의 상대적인 운동을 방해하는 방향으로 자기력이 작용하게 된다.

정답 맞히기 ㄱ. 유도 기전력의 크기는 시간에 따른 자기 선속의 변화율에 비례하므로, 유도 전류의 세기도 시간에 따른 자기 선속의 변화율에 비례한다.

ㄷ. 과정 2와 과정 3의 결과를 통해 S를 닫았을 때 역학적 에너지 감소량이 과정 3에서가 과정 2에서보다 크다는 것을 알 수 있다. 감소한 역학적 에너지는 전기 에너지로 소모된 것이므로 과정 3에서 평균 유도 전류의 세기가 과정 2에서보다 크다. 즉, 과정 2에서

는 자석이 코일을 통과하기 전에, 과정 3에서는 자석이 코일을 통과한 후에 다이오드에 순방향 전압이 걸렸음을 알 수 있다. 따라서 과정 2에서 S를 닫은 상태에서 자석이 코일에 접근할 때 발광 다이오드에는 순방향의 전압이 걸린다.

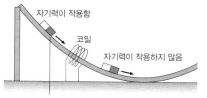

자석의 속력이 과정 3보다 느림
→ 자기 선속의 변화율이 작음
→ 코일에 작은 유도 전류가 흐름
→ 코일과 자석 사이에 작은 자기력이 작용함
→ 자석의 역학적 에너지 감소량이 작음

[과정 2, 코일을 통과하기 전 다이오드에 순방향 전압이 걸릴 때]

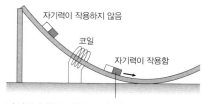

자석의 속력이 과정 2보다 빠름
→ 자기 선속의 변화율이 큼
→ 코일에 큰 유도 전류가 흐름
→ 코일과 자석 사이에 큰 자기력이 작용함
→ 자석의 역학적 에너지 감소량이 큼

[코일을 통과한 후 다이오드에 순방향 전압이 걸릴 때]

오답피하기 ㄴ. 자석이 코일을 통과하기 전과 후에는 일반적으로 유도 전류가 반대로 흘러야 한다. 그러나 코일에 다이오드가 연결되어 있으므로 코일을 통과하기 전 또는 후에 다이오드에 역방향 전압이 걸릴 수 있고, 전류가 흐르지 못하는 때가 있다.

9 열역학 법칙

기체가 받은 열량(Q)은 기체의 내부 에너지 증가(ΔU)와 기체가 외부에 한 일(W)의 합과 같다.

$$Q=\Delta U+W$$

정답 맞히기 ㄱ. (가)에서는 A와 B의 압력이 같고 분자수가 같으므로 기체의 온도는 부피가 큰 A에서가 부피가 작은 B에서보다 높다.

오답피하기 ㄴ. (나)에서 A와 B의 압력과 분자수가 같고, 부피가 같으므로 A에서와 B에서의 온도는 같다. 따라서 기체의 내부 에너지는 온도에 비례하므로 A와 B에서의 내부 에너지는 같다.

ㄷ. (가)에서 (나)로 변화하는 동안 B에 공급해 준 열은 B의 내부 에너지 변화량과 B의 기체가 A의 기체에 한 일의 합과 같다.

10 종파의 표시

변위가 (+)이면 매질이 진동의 중심으로부터 $+x$ 방향에, 변위가 (−)이면 매질이 진동의 중심으로부터 $-x$ 방향에 있다.

정답 맞히기 ㄴ. 잠시 후 B의 변위는 (+)의 값을 갖는다. 따라서 B에서 매질은 $+x$ 방향으로 운동한다.

ㄷ. B와 C는 $\frac{1}{2}$파장 떨어져 있으므로 위상이 반대이다. 따라서 B와 C에서 매질의 운동 방향은 서로 반대이다.

오답피하기 ㄱ. 밀한 지점은 용수철이 모이는 곳이므로, 밀한 지점의 오른쪽 용수철은 왼쪽으로, 왼쪽 용수철은 오른쪽으로 이동한다. 따라서 오른쪽의 변위는 (−)이고, 왼쪽의 변위는 (+)인 B가 밀한 지점이다.

14회 미니모의고사

본문 55~58쪽

1 ③	2 ⑤	3 ①	4 ④	5 ④
6 ⑤	7 ⑤	8 ⑤	9 ④	10 ①

1 위치−시간 그래프와 가속도−시간 그래프 해석

위치−시간 그래프에서 기울기는 속도를 나타내고, 가속도−시간 그래프에서 그래프와 시간 축이 이루는 면적은 속도 변화량을 나타낸다.

정답 맞히기 ㄱ. (가)에서 0초~1초 동안 A의 운동 방향은 (+)이고, 1초~2초 동안 A의 운동 방향은 (−)이다. 따라서 1초일 때 A의 운동 방향이 바뀐다.

ㄴ. (가)에서 0.5초일 때 A의 속력은 2 m/s이다. (나)에서 0초~0.5초 동안 면적은 +1 m/s이고, 0초일 때 B의 속도가 +1 m/s이므로 0.5초일 때 속도는 +2 m/s이다. 따라서 0.5초일 때 A와 B의 속력은 같다.

오답피하기 ㄷ. (가)에서 0초~2초 동안 A의 평균 속력은 $\frac{4\,m}{2\,s}$=2 m/s이다. (나)에서 0초~2초 동안 B의 속도는 +3 m/s이고, 0초일 때 B의 속도가 +1 m/s이므로 2초일 때 속도는 +4 m/s이다. 따라서 2초일 때 B의 속력은 0초~2초까지 A의 평균 속력의 2배이다.

2 실로 연결되어 함께 움직이는 물체의 운동

실로 연결되어 함께 운동하는 물체는 매 순간 물체의 속력과 가속도의 크기가 서로 같다. 빗면에 놓인 물체는 중력의 영향으로 빗면과 나란한 방향으로 일정한 힘을 받게 된다.

정답 맞히기 ㄱ. 실로 연결되어 함께 움직이는 물체들의 속력은 항상 같기 때문에 운동 에너지$\left(E_k=\frac{1}{2}mv^2\right)$는 질량에 비례한다. 따라서 A의 운동 에너지가 B의 운동 에너지의 2배이므로, 질량도 A가 B의 2배이다. B의 질량은 3 kg이다.

ㄴ. 세 물체의 속력이 일정하므로 운동 에너지의 변화는 없다. 따라서 A를 잡아당기는 힘이 한 일은 세 물체의 중력 퍼텐셜 에너지 증가로만 나타난다. W_A=80 N×4 m=320 J이고, B의 중력 퍼텐셜 에너지 변화는 없고, C는 5 kg×10 m/s^2×4 m=200 J만큼 중력 퍼텐셜 에너지가 증가하므로, A의 중력 퍼텐셜 에너지는 120 J만큼 증가한다.

ㄷ. A, B, C가 일정한 속력으로 운동하고 있었으므로 세 물체에 작용하는 알짜힘은 0이다. A에는 빗면 위 방향으로 80 N의 힘이 작용하고, 실로 연결되어 B가 A를 50 N의 힘으로 빗면 아래 방향으로 당기고 있다. 따라서 빗면에 놓인 A에는 빗면 아래 방향으로 중력에 의해 30 N의 힘이 작용하고 있다. 이 상태에서 A와 B 사이의 실이 끊어지게 되면, A에 작용하는 알짜힘의 크기는 80 N−30 N으로, 50 N의 힘이 빗면 위로 작용하여 가속도의 크기는 $\frac{50}{6}$ m/s^{2}이 된다. B와 C는 실로 연결되어 함께 움직이므로 C에 작용하는 중력의 크기는 50 N으로, 두 물체가 등가속도 운동

을 하기 때문에 가속도의 크기는 $\frac{50\,\text{N}}{(3+5)\,\text{kg}}=\frac{50}{8}$ m/s²이다. 따라서 가속도의 크기는 A가 B의 $\frac{4}{3}$배이다.

3 운동량과 충격량

운동량은 물체의 질량과 속도의 곱이고, 충격량은 물체에 작용한 힘과 힘이 작용한 시간의 곱으로 운동량의 변화량과 같다.

정답 맞히기 ㄱ. (가)에서 A, B의 속력을 각각 v_A, v_B라고 하면, A의 운동량의 크기는 $p=2mv_A$이고, B의 운동량의 크기는 $2p=mv_B$이다. 따라서 $v_A=\frac{p}{2m}$, $v_B=\frac{2p}{m}$이므로 물체의 속력은 B가 A의 4배이다.

오답피하기 ㄴ. (나)에서 B가 벽과 충돌한 후 속력은 A의 속력과 같다. A의 속력은 $v_A=\frac{p}{2m}$이다. 따라서 B가 벽과 충돌한 후, B의 운동량의 크기는 $m\times\frac{p}{2m}=\frac{1}{2}p$이다.

ㄷ. (나)에서 B가 벽과 충돌하는 동안 B가 벽으로부터 받은 충격량의 크기는 운동량 변화량의 크기와 같다. 벽과 충돌한 후 B의 운동량은 $-\frac{1}{2}p$이고, 벽과 충돌하기 전 B의 운동량은 $2p$이므로 B의 운동량 변화량은 $\Delta p=-\frac{1}{2}p-2p=-\frac{5}{2}p$이다. 따라서 B가 벽과 충돌하는 동안 B가 벽으로부터 받은 충격량의 크기는 $\frac{5}{2}p$이다.

4 특수 상대성 이론

철수가 측정할 때 빛의 속력에 가깝게 매우 빠르게 운동하는 A와 B의 시간은 느리게 간다(시간 지연). 정지 상태의 A가 생성된 순간부터 소멸하는 순간까지 걸리는 시간이 t_0이므로, 철수가 측정할 때 A가 생성된 순간부터 소멸하는 순간까지 걸리는 시간은 t_0보다 크다.

정답 맞히기 ㄴ. 철수가 측정할 때 A와 B의 시간(생성부터 소멸)을 각각 t_A, t_B라고 하면 $L_1=v_A t_A$, $L_2=v_B t_B$이다. $L_1=v_A t_A < L_2 = v_B t_B$이고, 시간 지연은 속력이 클수록 크므로 $v_A < v_B$일 때 $t_A < t_B$가 성립한다. 즉, $v_A < v_B$이다.

ㄷ. B와 함께 이동하는 좌표계에서 측정할 때, 뮤온은 정지한 상태에 있으므로 고유 수명(t_0) 동안 지표면의 철수가 뮤온을 향해 v_B의 속도로 운동하는 것을 관찰한다. 따라서 B와 함께 이동하는 좌표계에서는 철수가 $v_B t_0$만큼 이동한다.

오답피하기 ㄱ. 지표면에 정지해 있는 철수가 측정할 때 빛의 속력에 가까운 속도로 운동하는 뮤온의 시간은 느리게 간다. 즉, 시간 지연에 의해 철수가 측정한 A의 시간(생성부터 소멸)은 t_0보다 크다. 따라서 A의 속력이 v_A이고, 철수가 측정한 A의 시간을 t라고 할 때 $L_1=v_A t$이다($t>t_0$). $v_A t_0$은 A와 함께 이동하는 좌표계에서 측정한 A의 이동 거리로, t_0 동안 지표면(철수)이 이동한 거리이다.

5 열기관의 효율

고열원에서 Q_1의 열을 공급받아 W의 일을 하고 저열원으로 Q_2의

열을 방출하는 열기관의 효율 $e=\frac{W}{Q_1}=\frac{Q_1-Q_2}{Q_1}=1-\frac{Q_2}{Q_1}$이다.

정답 맞히기 ㄴ. 열기관의 효율 $e=\frac{W}{Q_1}$이다. A, B의 열효율을 각각 e_A, e_B라고 하면 $e_A=\frac{2Q}{5Q}=0.4$이고, $e_B=\frac{Q}{4Q}=0.25$이다. 따라서 열효율은 A가 B보다 높다.

ㄷ. $e=\frac{Q_1-Q_2}{Q_1}$에서 $Q_2=(1-e)Q_1$이므로 Q_1이 같을 때 e가 클수록 Q_2는 작다. 따라서 A, B에 동일한 열량을 공급할 때 방출하는 열량은 A가 B보다 작다.

오답피하기 ㄱ. $W=Q_1-Q_2$이므로 (가)$=5Q-3Q=2Q$이고, $Q=4Q-$(나)에서 (나)$=3Q$이다. 따라서 (가)가 (나)보다 작다.

6 다이오드

다이오드는 순방향 연결일 때 전류를 통과시키고 역방향 연결일 때 전류를 통과시키지 않아서 한쪽 방향으로만 전류가 흐르도록 하는 정류 작용을 한다.

어댑터 내부에서 전류의 흐름은 다음과 같으며, 교류 전원의 전극에 관계없이 어댑터를 통과한 전류는 a → 전기 기구 → b 방향으로 흐르기 때문에 전기 기구에는 항상 직류 전류가 공급된다.

① 교류 전원의 위쪽이 (+)극, 아래쪽이 (−)극일 때 전류의 흐름

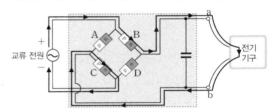

② 교류 전원의 위쪽이 (−)극, 아래쪽이 (+)극일 때 전류의 흐름

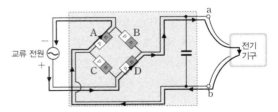

정답 맞히기 ㄱ. 다이오드는 p형 반도체에 전원의 (+)극, n형 반도체에 전원의 (−)극이 연결된 순방향 전압일 때만 전류를 통과시키는 정류 작용 기능이 있다.

ㄷ. 교류 전원에서 공급된 전류는 어댑터 안에서 다이오드의 정류 작용에 의해 a → 전기 기구 → b 방향으로 흐른다.

오답피하기 ㄴ. 다이오드에 순방향 전압이 걸리면 p형 반도체의 양공과 n형 반도체의 전자는 p−n 접합면으로 이동하여 양공과 전자가 결합한다.

7 두 직선 전류에 의한 자기장

직선 전류에 의한 자기장의 세기는 전류의 세기에 비례하고 도선으로부터의 거리에 반비례한다.

정답 맞히기 ㄱ. q에 형성되는 B에 의한 자기장의 세기는 A에 의한 자기장의 세기보다 크므로 B에 흐르는 전류의 세기는 I보다 크다.

ㄴ. A와 B에 흐르는 전류의 방향이 같으므로 p와 r에서 자기장의

방향은 서로 반대이다.

ㄷ. B에는 세기가 I보다 큰 전류가 흐르므로, A와 B에 의한 자기장의 세기는 r에서가 p에서보다 크다.

8 전자기 유도

Ⅰ에서 자기장의 방향은 종이면에서 수직으로 나오는 방향, Ⅱ에서 자기장의 방향은 종이면에 수직으로 들어가는 방향이다. Ⅱ에서 자기장의 세기는 Ⅰ에서의 2배이다.

정답 맞히기 ㄱ. $x=1.5d$에서 자기 선속의 변화는 $x=0.5d$에서 자기 선속의 변화의 3배이므로 ㉠은 $3I_0$이다.

ㄴ. Ⅱ에서 자기장의 방향은 종이면에 수직으로 들어가는 방향이므로 ㉡은 시계 방향이다.

ㄷ. $x=2.5d$에서 전류의 세기가 $x=0.5d$에서 전류의 세기의 2배이므로, Ⅱ에서의 자기장의 세기는 Ⅰ에서의 2배이다.

9 광섬유에서의 전반사

빛의 반사와 굴절에서 입사각이 증가하면 반사각, 굴절각도 증가한다. 전반사는 빛이 굴절률이 큰 매질에서 작은 매질로 진행하고 입사각이 임계각보다 클 때 일어난다.

정답 맞히기 ㄱ. θ가 감소 → A와 C의 경계면에서 굴절각이 감소 → C와 D에서 입사각 감소 → C와 A의 경계면에서 입사각 증가 → θ_C 증가이다.

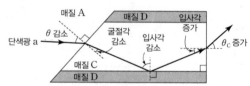

ㄷ. (가)에서 C와 D의 경계면에서는 전반사가 일어났고, (나)에서 C와 D의 경계면에서는 전반사가 일어나지 않았으므로, C와 D의 경계면에서 입사각은 (가)에서가 (나)에서보다 크다. 따라서 (가)에서 a가 A에서 C로 진행할 때 A와 C의 경계면에서의 굴절각은 (나)에서 a가 B에서 C로 진행할 때 B와 C의 경계면에서의 굴절각보다 크다. (가)와 (나)에서 입사각 θ가 같고, (가)의 A와 C의 경계면에서의 굴절각은 (나)의 B와 C의 경계면에서의 굴절각보다 크므로 C와의 굴절률의 차는 A가 B보다 작다. 따라서 굴절률은 A가 B보다 크므로 a의 속력은 A에서가 B에서보다 작다.

오답피하기 ㄴ. (나)에서는 C와 D의 경계면에서 전반사가 일어나지 않았으므로 입사각이 임계각보다 작다. θ가 감소 → B와 C의 경계면에서 굴절각이 감소 → C와 D에서 입사각이 감소이다. 즉, θ를 감소시키면 (나)에서 C와 D의 경계면에서의 입사각보다 더 작아지므로 전반사가 일어나지 않는다.

10 광전 효과

문턱 진동수보다 큰 진동수의 빛을 비출 때, 단색광의 세기가 클수록 회로에 흐르는 전류의 세기가 크다.

정답 맞히기 ㄱ. 단색광의 진동수는 파장에 반비례한다. 단색광의 진동수가 금속판의 문턱 진동수보다 클 때 전류가 흐른다. 실험 Ⅰ에서는 전류가 흐르고, 실험 Ⅱ에서는 전류가 흐르지 않았으므로

단색광의 파장은 $\lambda_1 < \lambda_2$이다.

오답피하기 ㄴ. 실험 Ⅰ과 실험 Ⅲ에서 동일한 파장의 빛을 비추었을 때 회로에 흐르는 전류의 세기는 실험 Ⅲ에서가 실험 Ⅰ에서보다 크므로 단색광의 세기는 $E_1 < E_2$이다. 그러나 파장이 λ_2일 때 단색광의 진동수는 금속판의 문턱 진동수보다 작으므로 전류가 흐르지 않는다.

ㄷ. 광전 효과는 태양광 발전에 이용된다.